Edito

un nuage de lait, please, Dear !...

Un petit conseil... avant de tour-
...rez-vous
...mettre
...quine

...? Un
...t à la
...n petit
...r deux
...us vite
..., alias
...ameux
...nd on

y goûte, on ne peut plus s en passer !

Béatrice Valentin
rédactrice en chef

COUVERTURE : ILLUSTRATIONS ARTHUR ROBINS - PHOTO COLLECTION VIOLLET ; PAGE 116 : ILLUSTRATIONS ARTHUR ROBINS, DOMINIQUE ROUSSEAU, DUPUY ET BERBERIAN - PHOTOS GUILLAUME
DESSINS PÉNÉLOPE ET ROMUALD : SERGE BLOCH. CE NUMÉRO COMPORTE, POSÉ SOUS FILM, UN ENCART MULTITITRES PRESSE JEUNE, POUR ABONNÉS EXPORT ET ABONNÉS SUISSES

DE CHAUDS RAYONS DE SOLEIL DE BONNE HUMEUR ET DES GIBOULÉES DE MAUVAISE HUMEUR... VOICI VOS PAGES MÉTÉO. ICI, C'EST VOUS QUI FAITES LA PLUIE ET LE BEAU TEMPS !

COURRIER

J'adore écrire des poèmes... J'ai été ravie, encore une fois, de recevoir mon **Je Bouquine.**

Mélissa, 11 ans et demi, Taverny (95)

Nous sommes ravis autant que toi de recevoir tes lettres et poèmes. Nous n'avons pas la place ici de publier celui que tu viens de nous envoyer "La licorne enchantée". Désolés ! Mais une autre fois...

J'ai lu "L'Indien du placard" de Lynne Reid Banks. Bourré d'aventures, c'est un régal ! Vous aviez parlé du film dans Je Bouquine et vous disiez que l'Indien s'appelait "Ours Rapide". Dans le livre, c'est "Petit Taureau". Est-ce une erreur ?

Julien, Pont de Vaux (01)

Eh non Julien, ce n'est pas une erreur, dans le film, l'Indien, s'appelle bien "Ours Rapide".

Avis aux amateurs de bons livres : je vous conseille "Mon prof est un extra-terrestre" de Bruce Coville. C'est un livre super plein de suspense. Alors, n'hésitez pas ! Une lectrice qui vous adore.

Charlotte, Pontcharra (38)

Un grand bravo au collège Gambetta de Carentan (50). Réalisation, maquette, textes et illustrations... le recueil, "Pierre le sourd muet et Coco le chimpanzé", est somptueux ! L'association élèves, parents d'élèves, profs et administration a bien fonctionné. Un petit regret pour nous : on aurait souhaité que Jeanne Bourin soit citée. Après tout, c'est elle qui avait lancé le début de l'histoire "Pierre et le chimpanzé" dans le concours miniplume 1996 de Je Bouquine !

La rédaction

CLAP

MATHS GÉO LANG

CLAP CLAP

4

Quand j'ouvre mon Je Bouquine, je suis toute contente. Mais dès que j'arrive au "Coin de la bande", j'enrage ! Au lieu de me faire rire, ça m'énerve. Malgré tout, Je Bouquine est super !

Lise, 13 ans, Morlaix (29)

Après avoir lu "Rebecca" et "L'Auberge de la Jamaïque" de Daphné du Maurier, je désire lire "Les Oiseaux" qui devint un magnifique film. Malheureusement, je n'ai trouvé le livre dans aucune collection. Peux-tu m'aider ? Merci d'avance."

Marie-Noëlle, Bar-le-Duc

Tu pourras trouver " Les Oiseaux " dans la collection Le Livre de poche, chez LGF.

J'ai vu que vous faisiez paraître en bande dessinée "Le Livre de la Jungle". Vous l'aviez déjà fait dans le numéro 52 qui appartenait à mon frère. Pourquoi ?

Anne Louise, Dyon (21)

Tu as raison, nous avons déjà fait paraître un extrait du "Livre de la Jungle" en bande dessinée, mais c'était en juin… 1988 ! Aujourd'hui, il y a du nouveau du côté des dossiers littéraires. Dans les numéros de janvier et février, tu as trouvé TOUTE l'histoire du "Livre de la Jungle" racontée en BD. C'est très différent de ce que ton frère a lu en 1988. Bien sûr, nous continuerons à publier des extraits de roman en BD avec, à la fin, quelques petites phrases qui vous donneront une vue d'ensemble sur le roman. Et nos dossiers biographiques seront toujours au rendez-vous !
P.S. Avis à tous les lecteurs : dites-nous vite si le récit complet en BD sur deux numéros vous a plu !

ECRIVEZ-NOUS A:
REDACTION DE "JE BOUQUINE"
3 RUE BAYARD 75008 PARIS.

GRRR

MAUVAISE HUMEUR?

101 LES DALMATIENS

Trente-cinq ans après la sortie du dessin animé, ils reviennent en chair et en os dans un film ! Gare à la redoutable Cruella d'Enfer, alias Glenn Close…

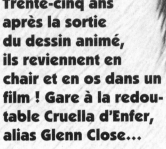

Rien de plus réussi, chez Disney, que les méchants. Mais dans cette galerie d'affreux en tous genres, allant de la mauvaise Reine de "Blanche Neige" à l'hypocrite Frollo du "Bossu de notre Dame", Cruella d'Enfer tient vraiment le haut de l'affiche. Inégalée depuis maintenant trente-cinq ans, cette espèce de furie géniale et sa folle passion pour la fourrure ont donné des frissons à des générations de spectateurs. "Je n'étais pas certaine de pouvoir être à la hauteur de l'originale", raconte Glenn Close, intimidée, au départ, par l'idée d'incarner le personnage dans cette nouvelle adaptation des "101 Dalmatiens". Mais comme on s'y attendait, l'actrice est fabuleuse. À la fois effrayante et drôle, "épouvantablement amusante", elle fait à l'écran un numéro délirant de grande dame à la mode… au "look d'enfer". Sa nouvelle lubie : un manteau en peau de dalmatien. C'est ainsi que des dizaines de chiots sont enlevés par les deux hommes de main de cette horrible femme tyranique. Et parmi eux, les petits de Pongo et de Perdy qui appartiennent eux-mêmes à un jeune couple londonien, Roger et Anita. Vous connaissez l'histoire, bien sûr. Le film de Stephen Herek la modernise joliment, tout en marquant une date dans l'histoire du dressage au cinéma.

Estelle Warin

98, 99, 100, 101...

Contrairement aux animaux du dessin animé original, ceux du film ne parlent pas. Réalisme oblige. Le travail des dresseurs n'en a été que plus important, puisque tout le jeu des comédiens à quatre pattes passe par l'image. Dénicher deux cents chiots âgés de 8 semaines n'avait rien d'évident. Jusqu'à quatre-vingts d'entre eux ont été présents en même temps sur le plateau. Au-delà de douze semaines, les petits devenus grands devaient déjà être remplacés. Il y avait aussi les "adultes" : quatre dalmatiens pour jouer Pongo, trois pour Perdy... Sans oublier un cheval, des moutons, des cochons, des oiseaux et un raton laveur... Jolie prouesse.

Attaque, Rex !!

SORTIE

MATILDA

Une petite fille très intelligente qui adore lire, une directrice d'école qui jette les enfants par la fenêtre, une famille horrible et débile, une adorable maîtresse d'école... Voilà les personnages de cette joyeuse comédie, tirée du livre du même nom de Roalh Dahl (voir page 12). Même si ce n'est pas toujours très fin, on rit beaucoup et on frissonne. Les plus jeunes et leurs parents vont adorer !

Un film de Danny de Vito, avec Mara Wilson, Pam Ferris, Danny de Vito. Sortie le 9 avril.

VIDEO

TOY STORY

"Toy Story" : un des derniers-nés de chez Disney tout en images de synthèse. Ce film très réussi raconte la vie secrète mais active d'un petit groupe de jouets dans une chambre d'enfant. Rien ne va plus entre le cow-boy Woody et Buzz l'éclair, cosmonaute électronique dernier cri.

(Walt Disney Pictures).

CHAUD L'INFO CHAUD !

Passionnant, trépidant... d'accord. Mais le métier de reporter politique à la radio comporte aussi une bonne dose de stress et de trépidation. Ariane Bouissou aime ça ! Elle travaille à 100 à l'heure, au service politique d'Europe 1.

Déjeuner avec un ministre, interviewer Lionel Jospin, accompagner Alain Juppé en déplacement à l'étranger... À 37 ans, Ariane Bouissou n'a pas le temps de s'ennuyer ! Enfant, elle en rêvait. Après des études de lettres, elle se lance dans le journalisme en suivant les cours d'une école professionnelle, le CFJ. Elle travaille ensuite dans un quotidien, puis elle intègre l'équipe d'Europe 1. "Là, j'ai découvert un nouveau métier." Des nouvelles sensations aussi : "Travailler dans une radio comme Europe 1, c'est grisant ! C'est une formidable puissance de frappe. On délivre une info instantanée, en direct, pour des centaines de milliers d'auditeurs. C'est excitant, amusant et en même temps une grande responsabilité, surtout avec la politique". Ariane parle du "coup d'aiguille" dans le cœur lorsqu'elle intervient en direct dans une édition : "On ressent le trac de l'acteur qui entre en scène. Au début, j'étais souvent au bord du trou noir, j'avais peur de buter sur les mots. Il faut maîtriser sa voix, son souffle...".

Bien remplies, les journées d'Ariane Bouissou ne sont jamais pareilles. Si elle a des rendez-

Un rendez-vous régulier : la sortie du Conseil des ministres

Interview de Philippe Vasseur, ministre de l'Agriculture

Ariane travaille avec un technicien sur le montage de l'enregistrement avant de l'envoyer à la rédaction

Une voiture relais, remplie de matériel pour enregistrer, monter, émettre. Un studio complet sur roues !

La valise-satellite :
la ''cabine téléphonique''
du journaliste du futur

vous réguliers, comme la sortie du Conseil des ministres, ses rédacteurs en chef l'envoient souvent à la rencontre d'une personnalité ou à une conférence d'un parti, à Paris ou en province. Elle passe aussi de nombreux coups de téléphone pour prendre des rendez-vous, travaille sur des enquêtes... Quel que soit le sujet, Ariane doit faire vite. Très vite. Interview d'une personnalité, montage de l'enregistrement sur le "nagra" (un magnétophone spécial journaliste), écriture du papier, transmission du papier par téléphone à la rédaction... Ariane doit faire tout cela en moins de temps qu'il n'en faut pour l'écrire.

C'est assez impressionnant de voir Ariane travailler ! C'est ce qui fait la force d'Europe 1 : donner l'information la plus complète, le plus vite possible. Voilà pourquoi le matériel de la rédaction va changer. L'informatique arrive en force. Par exemple, les journalistes vont pouvoir monter leur sujet directement sur l'ordinateur. Le plus

"Pas le temps de s'ennuyer !"

impressionnant, c'est la valise-satellite, une petite valise d'allure anodine. En fait, un super téléphone : que le journaliste soit dans le désert, au milieu de la mer ou dans une ville en guerre, il pourra transmettre son papier à la radio, via un satellite. De la science fiction ! À l'arrivée, c'est l'auditeur qui est heureux : il a une information toute fraîche avec un son de grande qualité ! Ariane, elle, est ravie : "On dispose de moyens techniques fabuleux, avec une super équipe de techniciens. Je travaille vraiment dans des conditions idéales".

Emmanuel Viau

Écrire un papier radio, c'est écrire en style "parlé". "On fait des phrases courtes, on enlève les articles. Il y a des phrases sans sujet... explique Ariane, bref, tout le contraire de ce que l'on vous apprend à l'école ! En radio, il faut capter très vite l'attention de l'auditeur." C'est aussi pour cela que les papiers radio ne sont jamais très longs : 1 mn 30 maximum. Imaginez le travail nécessaire pour condenser un discours de deux heures en 1 mn 30 !

ACTU PLUS

DAVID BOWIE : "EARTHLING"

On l'entend très peu à la radio c'est SCANDALEUX ! Des disques comme celui-ci sont rares. Où peut-on écouter un disque qui marie si bien les rythmes "jungle" avec des sons techno et des guitares rock ? Où peut-on entendre une aussi belle voix chanter d'aussi somptueuses mélodies ? Nulle part ailleurs que dans "Earthling". Ah, bien sûr, ce n'est pas un disque facile à écouter, ça non ! C'est dense, ça fourmille, c'est sombre, violent parfois. Il faudra faire quelques efforts, comme se nettoyer les oreilles de l'infâme soupe dans laquelle on nous plonge habituellement. Prenez-vous en main, refusez la "fast food music" et secouez-vous. Pour la survie de la musique, exigez Bowie et sa musique du futur. Non mais quoi !

c'est un scandale !

Pour l'hygiène de l'ouïe
exigez BOWIE

ZORK NEMESIS

JEU VIDEO

Dans la lignée du célèbre "Myst", "Zork Nemesis" est un formidable jeu d'énigme. En explorant différents palais, vous réussirez à progresser et à comprendre pourquoi et comment quatre importants personnages de l'Empire ont disparu. Sombre et envoûtant, "Zork Nemesis" est très impressionnant. La qualité des décors, des mouvements et de la bande sonore atteint des sommets. Le scénario, bien que touffu et complexe, tient le joueur en haleine. Cela dit, il faudra être très patient, observateur et logique pour résoudre les énigmes qui là aussi atteignent parfois des sommets !

(Activision / pour PC CD Rom)

COOL BOARDERS

Ah, ah ! À vous les pistes noires verglacées, bosselées et vicieuses ! Ici, c'est simple, vous chaussez votre "snowboard" (surf des neiges), vous descendez à fond, à fond, à fond, et vous établissez le meilleur temps. Évitez juste de vous fracasser la tête. Un jeu très... cool.

(Sony / PlayStation)

À BAYARD PRESSE, IL Y A AUSSI...
IMAGES DOC

Et Images Doc fête son numéro 100 ! Pour l'occasion vous pourrez lire des pages étonnantes remplies de records d'animaux. Le plus rapide, le plus lourd, le plus petit, etc... Vous aurez aussi l'occasion de faire un tour du monde des paysages : du désert en passant par les montagnes, les îles... Des photos superbes. Enfin, Images Doc fait le point sur 4 grandes inventions du XXème siècle et leur prolongement dans l'avenir...
Bon anniversaire Images Doc !
N° 100 - en vente à partir du 26 mars - 30 Francs

Documentaire

LA REPRODUCTION OU COMMENT FAIRE DES PETITS

"Tout, tout, tout, vous saurez tout sur le zizi …" Et en plus, vous rigolerez un bon coup ! Les Docudéments, qu'est-ce que c'est ? Des documentaires marrants : petits, pas chers, et surtout très drôles. Écrits par des spécialistes, réécrits et mis en scène par des humoristes, illustrés par des dessinateurs d'humour, ils ne ressemblent en rien aux documentaires que vous connaissez. Ici, point de discours scolaire et rasoir. On apprend en se bidonnant. Par exemple, que les araignées mâles fécondent leur femelle avec le bout de leurs pattes avant. Ou que pour s'accoupler, les lièvres de mer - sortes de gastéropodes - forment une longue chaîne, où chaque animal est le mâle du précédent, et la femelle du suivant. Style "C'est la chenille qui redémarre…" Bref, avec les Docudéments, vous aurez de quoi alimenter les conversations de récré !

Gallimard Jeunesse, 140 pages, 31,50 F

Autres titres parus : Cosmos toujours tu m'intéresses ; L'Égypte à tombeau ouvert ; Napoléon :"L'Empire, c'est moi".

20 DOCUDÉMENTS À GAGNER !

Comment ? C'est tout simple. En répondant à notre question :
le serpent a un sexe un peu bizarre… Pourquoi ?
Vous connaissez la réponse ? Alors envoyez-la avant le 30 avril 1997 à : Rédaction Je Bouquine, Concours Docudément, 3 rue Bayard, 75008 Paris. Faites vite ! Seuls les 20 premiers gagnants seront récompensés !

BD

ACHILLE TALON
Le musée
par Greg

Il a de l'embonpoint, un gros nez, une calvitie avancée et s'exprime avec une élégance archaïque... Qui est-ce ? Achille Talon. Débonnaire, snob, et légèrement désuet, il revient, pour le meilleur et pour le rire. Dans ce nouvel album d'inédits, Talon est en pleine forme : il se mesure à Lefuneste, son perfide voisin, pour conquérir le cœur de Virgule de Guillemet. Il donne des coups, en reçoit et parle avec une éloquence irrésistible.

Samuel Dupuy

Dargaud, 48 pages, 53 F.

tu trouves
que c'est drôle ?...

SPÉCIAL HUMOUR

Rire jaune, noir, aux éclats... Vous allez en voir de toutes les couleurs avec la petite sélection de bandes dessinées, documentaires et romans que nous vous avons concoctée !

MATILDA
de Roald Dahl

Un prodige de la nature, une enfant surdouée. À cinq ans, Matilda sait lire, écrire et compter. Elle a déjà dévoré Dickens, Hemingway et Kipling. Ses parents devraient se rengorger. Bien au contraire. Ce sont des abrutis finis, drogués de télé et de loto. Loin d'encourager leur fille, ils ne cessent de la rabrouer. Matilda n'en peut plus, et décide de se venger... Si vous avez aimé le film de Danny de Vito (*voir page 7*), lisez vite le livre de Roald Dahl. Un sommet d'humour noir, nettement moins lourdingue que le film.

Folio Junior, Édition spéciale, 234 pages, 37 F.

Anibal
Anne Bragance

Le temps était revenu au beau fixe et on avalait les bornes à pas de géant. J'avais un moral d'enfer et Anibal arrêtait pas de rigoler. Mais tout s'est gâté dans l'après-midi, un peu avant Tourrette, quand j'ai voulu filer son goûter à mon frère.

Coup de cœur

ANIBAL
Anne Bragance

Dans sa vie, Edgar n'a qu'une passion : les arbres, les plantes, les fleurs. Avec amour et avec science, il les dorlote, les soigne, leur parle. Rien ne lui fait plus de peine que la mort d'un mimosa. Ses parents ? Ils bossent dans le cinéma, et n'ont que peu de temps à lui consacrer. Pourtant, un jour Hugues et Lolly décident d'adopter un petit Péruvien. Anibal, surnommé l'Inca, a cinq ans, il est asthmatique, ne parle pas un traître mot de français et empiète un peu trop sur le domaine d'Edgar. Ce dernier décide de lui mener une vie d'enfer : il lui glisse par exemple des Boules-Quiès dans les oreilles avant ses leçons de français. Un roman attachant, drôle, tendre et bourré d'émotion, où l'on passe sans arrêt du rire aux larmes.

Poket Junior, 204 pages, 30 F.

L'EXCELLENT DU CHAT
Philippe Geluck

Il n'a pas de nom, mais vous pouvez l'appeler "le chat" : il ne se vexera pas. D'ailleurs, le chat n'est pas susceptible. Il est poète. Et un peu philosophe... Il nous assène ses dogmes délirants sur la vie, les animaux, les voitures, le pape, le chômage ou la peinture... "Le plus court chemin pour aller d'un point à un autre, c'est de ne pas y aller !" Jamais un sourire, jamais une grimace... Son humour loufoque et absurde est d'une efficacité à couper le souffle... Trois cases et quelques phrases suffisent pour nous plier en quatre... et miauler de plaisir.

Samuel Dupuy

Casterman,
47 pages, 52 F

SITCOM EN PÉRIL
de Christophe Lambert

Rien ne va plus, au royaume du sitcom, ces feuilletons télévisés tournés en studio. Voici que les vedettes de "Mylène et les pompiers" meurent les unes après les autres, assassinées. Nelly, qui joue le rôle de la petite sœur de Mylène, décide de mener l'enquête, s'inspirant des aventures de son héros favori, Dylan Doyle. Un roman policier rondement mené. Caustique et hilarant.

Verte aventure, Hachette Jeunesse, 158 pages, 26 F.

J'AIME PAS LA NATURE
de Gérard Bialestowski

Tous les dimanches, les parents de Narcisse le traîne à la campagne, et lui assène un cours d'histoire naturelle. Mais ce que Narcisse aime, c'est le béton de sa cité ! Jusqu'au jour où arrive une jolie voisine, Sidonie amoureuse des petites bêtes de la campagne. Quand l'écologie devient dictature, cela donne un roman plein d'humour. Dommage que l'intrigue ne soit pas plus étoffée.

Cascade, Rageot, 119 pages, 43 F.

DE PLUS EN PLUS POLITIQUEMENT CORRECT
de James Finn Garner

Désopilant ! Contes traditionnels et fables de La Fontaine réécrits à la mode d'aujourd'hui, pour mieux se moquer de leurs stéréotypes. Le résultat est décapant. La tortue subit un contrôle antidopage qui s'avère positif, la méchante marraine, menace la Belle au Bois dormant de devenir une ménagère frustrée. À lire absolument, pour s'oxygéner l'esprit et rire un bon coup.

Grasset, 104 pages, 65 F.

Sélection : Anne Lanchon

REFERENDUM
LES RÉSULTATS

À chaque numéro de "Je Bouquine", c'est le même suspense...
Vont-ils aimer ?... Vont-ils adorer ?... Vont-ils détester ?...
Grâce à vos nombreuses réponses au référendum,
nous en savons un peu plus sur vos goûts...
Merci à tous ceux qui ont participé... et à l'année prochaine !

Vos romans préférés :

De l'émotion, toujours de l'émotion...
Cette année, vos préférences
sont allées aux drames...
"Akita" de Bernard Clavel
vous a fait pleurer...
Il arrive en tête du référendum.
Il est suivi de
"Mon grand petit frère"
de Brigitte Peskine,
un autre drame qui vous a bouleversés...
Eh oui !... Les larmes ont coulé sur les pages de "Je Bouquine"... et vous aimez ça !
Viennent ensuite "Ce n'est pas de ton âge !" (Brigitte Smadja)
et "Le Boulevard"(Jean-Louis Viot).

Vos illustrations préférées :

Vous avez été séduits par le charme exotique
des illustrations de
Bruno Pilorget : "Samia la rebelle"
et les dessins aux brumes flamboyantes de
Nathalie Girard : "Akita".
Viennent ensuite les illustrations de
**François Daniel :
"Le Boulevard"**.

REBECCA BOUQUINE

compliment!

par J.C.Götting et Martin Matje

L'école organise le concours de la meilleure nouvelle. Dis-moi, ce que tu penses de ça!

Waoh! Génial! c'est toi qui as écrit ça!

oui!...

C'est formidable! j'ignorais que tu savais si bien taper à la machine...

...

James BOVK

PAUL MARTIN + MANU

Docteur Cervelet! la nouvelle bombe sera prête dans deux jours...

PARFAIT!

Je dois à tout prix prévenir le département ALPHA!

?

POK!

merci de TIMBRER cette lettre et de la poster...

département ALPHA

le SAVANT FOU par STANISLAS.

...alors que vous vous prélassez comme des lézardes...

...moi j'invente un casque de plongée révolutionnaire!

IL EST JOLI!

?

DÉMONSTRATION

OUF! UN PEU LOURD...

?!

AVENTURES sur MARS

lewis trondheim

Bon, la nuit est passée mais nous sommes toujours perdus.

NON... le vieil homme m'a indiqué un chemin pour rejoindre une petite ville.

EXTRAORDINAIRE!! nous voilà sauvés. HA HA HA HA... je savais que la chance tournerait.

ET C'EST À COMBIEN DE KILOMÈTRES?

LE VIEIL HOMME N'EN AVAIT AUCUNE IDÉE... il a dit qu'il ne savait pas compter au delà de 999.

ROMAN
INÉDIT

FAUX
COUPABLE

**Un roman de
John Tully,
traduit de l'anglais
par Marie Saint-Dizier,
illustré par
Arthur Robins**

FAUX COUPABLE !

chapitres

1

Un cadavre dans le jardin

Tout a commencé samedi matin, quand ma copine Sharon m'a téléphoné : ses parents étaient sortis et elle voulait que je passe la voir.

— Immédiatement, insista-t-elle.

Sharon prend facilement la mouche si on ne lui obéit pas. J'enfourchai donc mon vélo et partis aussitôt.

Arrivé devant chez elle, je trouvai la porte ouverte et pénétrai à l'intérieur. Sharon habite une superbe maison, dans le quartier le plus chic de la ville. L'entrée est luxueuse avec son bel escalier d'acajou, sa moquette ultra-épaisse et sa table rutilante.

— Sharon ! appelai-je.

Pas de réponse.

Je jetai un coup d'œil dans le salon. Personne.

Je sortis dans le jardin... C'était presque un parc, bordé d'épais buissons, avec au fond, une clôture en bois. Au-delà, on apercevait les arbres sombres de Shamble Wood.

Sharon était allongée sur un banc, près de la pelouse. Immobile, sur le dos, elle fixait le ciel avec des yeux terrifiés. Une de ses mains traînait par terre... Et elle avait un couteau planté dans la poitrine, au milieu d'une large tache de sang.

— Salut ! lui criai-je. C'est moi, Joe.

Elle cligna des yeux, inspira, et me toisa en fronçant les sourcils.

— Tu ne vois pas qu'on m'a assassinée ?

— Oh, pardon. Et qui t'a assassinée ?

— Je n'ai pas encore décidé.

Elle se redressa et dégagea le couteau du chewing-gum qui le collait contre sa poitrine. La lame apparut puis disparut aussitôt à l'intérieur du manche. Son tee-shirt rose dégoulinait de Ketchup.

– Je suis en train d'écrire un roman policier, expliqua-t-elle, agacée. Une bonne histoire de meurtre, ça peut rapporter beaucoup d'argent.

Comme tous les gens issus de familles riches, Sharon a du flair pour gagner de l'argent.

– Et qui est la victime ?

– Une belle jeune femme aux tresses blondes et aux yeux verts qui s'appelle Sarah.

Elle papillota des yeux et tenta de secouer ses cheveux blonds. Malheureusement, ils n'étaient pas assez longs pour ça. Elle reprit :

– Au début de l'histoire, elle a peur, elle croit que J. M. va l'assassiner.

– J. M. ?

– Un jeune homme qui l'aime follement et qui est terriblement jaloux. Le jour du meurtre, quelqu'un le surprend à côté du cadavre de Sarah. Bien entendu, la police pense que c'est l'assassin. Mais ce n'est pas lui, ce serait trop facile.

– Tu écris ce livre ou tu le joues ?

– Quand j'ai commencé à écrire, je me suis rendu compte qu'un véritable écrivain doit d'abord faire l'expérience de la réalité. Je veux me mettre dans la peau de Sarah et savoir comment réagirait J. M. en découvrant le cadavre.

Elle ajouta d'un ton acide :

– Pour moi, J. M. est un garçon gentil et sensible. Pas du tout le genre de type à lancer « Salut ! » devant le cadavre ensanglanté de sa bien-aimée.

— Je savais bien que tu n'étais pas morte ! J'ai reconnu le couteau. Tu l'as acheté dans un magasin de farces et attrapes.
— Oh, tu étais avec moi ?

Elle y allait un peu fort ! Comment pouvait-elle oublier que j'étais avec elle à ce moment-là ? Moi qui étais son chevalier servant, son amoureux ! Décidément, par moment, ses lubies me refroidissaient…

Mon attention fut attirée par un mouvement à l'orée du bois. Un homme grand et gros, vêtu d'un jean bleu, avait surgi au milieu des arbres. Je ne distinguai pas bien son visage dissimulé dans l'ombre.

— Qu'est-ce que tu regardes ? me demanda Sharon.

Avant que j'aie eu le temps de répondre, une voix appelait de la maison :
— Sharon ? Où es-tu ?

Sharon retint sa respiration et chuchota :
— C'est Elsie ! Cache-toi, vite !

Je plongeai derrière le banc. Sharon s'allongea à nouveau, en recollant le couteau dans le chewing-gum et bientôt, Elsie apparut. C'était la femme de ménage, une grande maigre avec des yeux perçants et des joues creuses.

En voyant
Sharon, elle
s'arrêta brus-
quement et il y eut un
bref silence. Puis un cri per-
çant fendit l'air, effrayant les
oiseaux qui quittèrent leurs nids à tire-d'aile. Je bondis de derrière le banc et voulus saisir le couteau pour montrer à Elsie
qu'il s'agissait d'une blague. Mais elle déguerpit plus vite qu'une
gazelle. Elle disparut dans la maison et je l'entendis ressortir
dans la rue en hurlant.

— Oh zut ! dit Sharon. Elle va faire un scandale.

— Tu voulais qu'il y ait du scandale, non ?

— Espérons qu'elle n'en parlera pas à papa.

— Si elle croit qu'on t'a assassinée, elle en parlera plutôt à la
police.

Sharon ne fut pas déconcertée longtemps.

— Elle aura l'air sacrément idiot quand j'expliquerai ce qui
est arrivé.

Et moi, de quoi aurais-je l'air ? Si Sharon terrorisait une malheureuse femme de ménage au point de la rendre folle, c'était
déjà un délit. Mais si je donnais l'impression d'être son complice, ce serait un crime : deux personnes qui conspirent ensemble
ont toujours l'air plus cruelles qu'une seule… Aussi, pour protéger Sharon, décidai-je de fuir avant l'arrivée de la police.

— Je viens juste de me souvenir que j'avais promis d'appeler

Dave, ce matin, dis-je. Il faut que j'y aille. À bientôt...

Je traversai la maison en courant et repris mon vélo. Au loin, la sirène de la police retentissait déjà.

On pourrait croire que j'avais raconté des bobards à propos de Dave. Pas du tout. Je m'étais promis à moi-même d'aller le voir, et pour me le prouver, je pédalai jusqu'à son village. Une fois sur place, je me souvins qu'il avait vaguement parlé de passer le week-end à Brighton.

Il était midi et Sharon devait avoir tout expliqué aux flics. Peut-être étaient-ils en train de la menacer de prison pour avoir abusé de leur temps ? Dans ce cas, elle déborderait de reconnaissance si je venais la soutenir dans cette épreuve. « Quel type formidable ! » se dirait-elle enfin.

Quand je retournai chez elle, une voiture et une fourgonnette de police stationnaient effectivement devant sa porte. J'allais vite faire demi-tour avec mon vélo quand un flic me hurla avec une politesse charmante :

— Hé, toi ! Viens ici !

Je m'approchai avec un sourire amical qui ne produisit aucun effet sur lui.

— Comment tu t'appelles ?

— Joe Merton.

Il me saisit par l'épaule, ouvrit la porte d'un coup de poing et me poussa dans l'entrée.

Un officier de police en civil sortit du salon. Petit, rond, il était aussi large que haut et portait une moustache en broussaille. Elsie le suivait. Ses yeux s'écarquillèrent en me voyant.

— C'est lui ! vociféra-t-elle. L'assassin ! Les assassins reviennent toujours sur le lieu du crime !

Je m'assis à une table du salon, en face du policier à la

LE POLICIER ESSAYA, SANS GRAND SUCCÈS,
D'ADOPTER UN TON PATERNEL.

moustache en broussaille. Il essaya, sans grand succès, d'adopter un ton paternel :

— Toi et moi, on va avoir une petite conversation. Je suis l'inspecteur Stone, de la Brigade criminelle, et voici l'agent Haley.

Il tourna la tête en direction d'une femme en uniforme, qui prenait des notes. Elle ressemblait à une matonne d'une prison pour femmes, c'est-à-dire pas exactement le genre de personne qui vient vous border dans votre lit.

Par-dessus l'épaule de l'inspecteur, je voyais des hommes

dans le jardin. L'un prenait des photos, un autre saupoudrait des fleurs avec une poudre spéciale, à la recherche d'empreintes digitales. De Sharon, pas la moindre trace. Avait-elle pris peur et s'était-elle enfuie en entendant venir la police ? Cela semblait peu probable. Sharon n'avait pas peur des policiers. Sa famille payait tant d'impôts qu'elle les considérait comme du petit personnel.

Elsie, toujours inquiète, s'assit sur une chaise, près de la cheminée, raide comme un piquet.

— Pourquoi ne l'arrêtez-vous pas ? interrogea-t-elle.

Stone agita un doigt pour la rappeler à l'ordre.

— N'oubliez pas que ce jeune homme est présumé innocent jusqu'à ce qu'on ait reconnu sa culpabilité.

Il se tourna vers moi et demanda :

— Pourquoi l'as-tu assassinée ?

— Je ne l'ai pas assassinée, répondis-je.

— Je vois.

Stone me sourit :

— Et qu'as-tu fait du cadavre ?

La lueur au fond de ses yeux me fit comprendre que j'avais affaire à un justicier voué tout entier à sa mission.

— Je n'ai rien fait avec son cadavre, répondis-je calmement. La vérité est que...

Il leva la main pour m'arrêter. L'interrogatoire devait être conduit selon ses règles à lui et non selon les lubies d'un suspect.

— Tu veux dire qu'elle s'est levée et qu'elle est partie ?

— Oui ! C'est exactement ça !

Elsie poussa un cri de détresse.

— Je l'ai trouvée allongée sur le banc, la pauvre petite, avec un poignard dans le cœur et du sang qui dégoulinait partout !

— Reconnais-tu les faits ? me demanda Stone.

— Ça ressemblait à ça, mais...

— Ça ressemblait à ça ?

— Laissez-moi vous expliquer.

Il leva encore la main.

— Une chose à la fois ! Étais-tu dans le jardin, oui ou non ?

— Oui, j'y étais, admis-je.

— Il se cachait derrière le banc, ce voyou ! cria Elsie. Et quand il s'est rendu compte que je l'avais vu, il a bondi pour reprendre le couteau.

— Tu as essayé de reprendre le couteau ? demanda Stone.

— Oui mais seulement pour...

— Pour me tuer, moi aussi, déclara Elsie. Si je ne m'étais pas sauvée, tu l'aurais fait !

Comme je la regardai en souriant de toutes mes dents, elle se mit à trembler :

— D'ailleurs, il aimerait bien me tuer, en ce moment !

Il y avait du vrai dans ce qu'elle disait. Stone fit un signe de tête au sergent Haley qui se rapprocha.

— Vous me laissez m'expliquer ? demandai-je.

— Bien entendu, bien entendu ! Tu as le droit d'avouer.

— Mais je n'avoue pas !

Stone soupira d'un air résigné.

— Si tu étais sur les lieux et que tu ne l'as pas poignardée, alors tu as dû voir l'assassin.

— Mais non ! J'essaie de vous le dire depuis tout à l'heure... Personne ne l'a poignardée !

Les sourcils en broussaille se haussèrent.

— Tu veux dire qu'elle s'est elle-même plantée le couteau dans la poitrine ?

— Non, elle n'a jamais été poignardée !

Stone rapprocha son visage du mien.

— Tu suggères qu'elle a été empoisonnée ?

Je me penchai en avant, par-dessus la petite table, mon nez au ras de sa moustache.

— Sharon n'a été ni poignardée, ni empoisonnée, ni étranglée ni poussée du haut d'une falaise. Elle voulait juste faire croire qu'elle avait été tuée ! Le couteau venait d'un magasin de farces et attrapes, et le sang qui dégoulinait, c'était du Ketchup.

Stone se cala dans sa chaise, apparemment plus détendu. À mon tour, je me calmai un peu, soulagé d'avoir enfin pu m'expliquer.

— Elle voulait juste faire croire... murmura-t-il. Très malin.

— Pas vraiment. Moi, je ne me suis pas laissé avoir.

Ses yeux se rétrécirent. Je compris que c'était mauvais signe.

— Mais tu crois que moi, tu peux m'avoir ? Ça suffit maintenant : si elle vit, où est-elle ?

— Je... je ne sais pas, reconnus-je. Elle se cache peut-être
quelque part.

— On a fouillé la maison et le jardin.

— Elle s'est peut-être enfuie.

— Sharon ? Jamais ! s'écria Elsie. Ce n'est pas son genre.

Stone se leva et se mit à faire les cent pas dans la pièce.

— J'aurais tout entendu, dans ma carrière ! *Ce n'était pas moi,
Inspecteur, c'était mon double... Je ne voulais pas la tuer, c'était
un accident... J'essayais de la sauver de la noyade quand le coup
de feu est parti...* Mais, *le cadavre faisait semblant d'être mort !*
ça, c'est nouveau !

L'inspecteur Stone commençait à m'ennuyer sérieusement.

— Et pourquoi aurais-je voulu tuer Sharon ? demandai-je.

Il se rassit avec précaution et posa délicatement une feuille
de papier sur la table. Je lus ces phrases écrites de la main de
Sharon : *J'ai très peur. J. M. est jaloux comme un tigre. Je suis
sûre qu'il veut me tuer. Il va venir d'un moment à l'autre et je suis
seule. Comment lui échapper ?*

— Nous avons trouvé ce papier dans sa chambre, déclara Stone.
À ton avis, qui est J. M. ?

— J. M. ne l'a pas tuée.

— Comment tu le sais ?

— Sharon me l'a dit.

Il reprit son ton sarcastique :

— Elle te l'a dit avant ou après le coup de poignard ?

— Après ! Selon elle, J. M. était un assassin trop évident ! Elle
préférait que ce soit quelqu'un d'autre. Donc, vous voyez bien
que ça ne peut pas être moi !

Comme mon discours ne semblait pas le convaincre, je revins
à la charge :

— Ce que je veux dire, c'est que...

Stone secoua tristement la tête et me coupa :

— On veillera bien sur toi, mon garçon et, qui sait, un jour on te
remettra peut-être en liberté...

— Je ne suis pas fou, m'écriai-je violemment. Sharon écrivait un roman policier et J. M. est un personnage de son invention.

— Elle écrivait un livre ? Et comment se fait-il que tu aies les mêmes initiales que ce fameux J. M. ?

— Elle a pensé à moi parce que nous sommes bons amis.

— De bons amis ! fit Elsie, qui ajouta d'un ton méprisant : Ah !

Stone se tourna vers elle :

— Mrs Finnegan, vous avez surpris une conversation entre la victime et le suspect, la semaine dernière. Répétez-moi ce que vous m'avez dit à ce propos.

— J'ai tout entendu malgré moi, vu qu'ils criaient, raconta Elsie. Joe lui a demandé de l'accompagner à une fête mais Sharon avait déjà promis à Tony, un autre garçon qu'elle connaît, d'y aller avec lui. Joe a dit : « Tu vas quand même pas y aller avec ce lourdaud ! » et Sharon a dit : « J'irai avec qui je veux ! » et lui, il a dit : « Si tu y vas avec Tony, je l'étranglerai d'une main et toi de l'autre ! »

Stone me regarda. J'essayai de lui sourire mais le cœur n'y était pas.

— Je plaisantais. Je n'aurais pas pu les tuer tous les deux en même temps, n'est-ce pas ?

— Non, mais tu as pu essayer d'en tuer un à la fois. Avec qui Sharon est-elle allée à la fête, Mrs Finnegan ?

— Avec Tony !

Stone hocha la tête et répéta pensivement :

— Jaloux comme un tigre...

Je perdis mon contrôle :

— D'accord, arrêtez-moi ! Mettez-moi en prison ! Vous aurez l'air sacrément idiot quand Sharon reviendra en chair et en os !

— Où as-tu caché le cadavre ?

— Et où l'aurais-je caché, d'après vous ?

— Dans le bois, bien sûr. D'ailleurs, mes hommes sont en train de passer chaque centimètre au peigne fin.

Tandis que je regardais par la fenêtre, une pensée horrible me traversa. Et si Sharon avait été attaquée par un maniaque, comme ceux dont on parle dans les journaux, et qu'elle ait été tuée pour de bon ? C'est moi qui paierais les pots cassés !

C'est alors qu'un flic surgit au milieu des arbres, escalada la clôture et entra dans le salon en traînant des pieds :

— Eh bien, sergent Grant, lui dit Stone, avez-vous retrouvé le corps ?

Le nouveau venu était une sorte de géant qui arborait la mine réjouie de ceux qui sont toujours contents d'eux.

— Non, déclara-t-il. Mais je crois que nous avons trouvé l'arme du crime.

Il montra à l'inspecteur le couteau de Sharon.

— Quelqu'un a essuyé les empreintes, semble-t-il.

Stone se tourna vers moi.

— Tu reconnais cet objet ?

— Oui. C'est le couteau factice dont je vous ai parlé. Si vous poussez la lame, elle rentre à l'intérieur du manche.

Stone hocha la tête à l'intention de Grant et celui-ci essaya de rentrer la lame. Il la poussa de plus en plus fort...

Mais la lame résista !

UN VRAI COUTEAU ?
MAIS ALORS, SHARON
EST PEUT-ÊTRE... MORTE !

2

La fuite

Une voiture de police freina devant la maison. Mon père et ma mère en descendirent. Stone les conduisit dans la salle à manger pour remplir un dossier : après quoi, il nous laissa seuls tous les trois.

Ma mère pleurait à chaudes larmes.

— J'ai pourtant essayé de t'apprendre les bonnes manières. N'as-tu pas encore compris que le crime est un acte répréhensible ?

— Je n'ai tué personne.

— Et par-dessus le marché, c'est Sharon que tu as tuée ! Une fille si gentille ! Avec des parents si adorables ! Regarde comme ils sont riches !

Elle me désigna la vaisselle en argent, sur le buffet.

— Je te répète que je ne l'ai pas tuée !

— C'est bien, mon fils, approuva mon père. Tu as raison de t'en tenir à cette stratégie. Dans la vie, il y a deux règles : garder le profil bas et toujours proclamer son innocence quoi qu'il arrive.

Mon père sait de quoi il parle, il a passé dix ans dans l'armée.

— Tout ça, c'est de ta faute, Arthur, accusa ma mère. Tu n'as jamais donné une bonne raclée à ton fils quand il se conduisait mal. Au contraire, tu t'attendrissais : *c'est tout à fait moi au même âge...*

— Quelle absurdité ! s'écria mon père. Toi, tu cédais à ses moindres caprices. Moi, au moins, j'essayais de lui inculquer un minimum de discipline.

— S'il vous plaît, voulez-vous m'écouter ? implorai-je.

Ils se turent à contrecœur.

— Le couteau était factice et Sharon n'était pas morte. Elle faisait semblant. Ce n'était qu'un jeu, c'est tout.

Ma déclaration les laissa songeurs.

Mon père secoua la tête.

— L'argument est astucieux mais qui te croira ? Dis plutôt que Sharon était déjà morte quand tu es arrivé. Tu as vu un homme penché sur elle et il s'est enfui à ton approche. Dès que tu es parti, il a dû revenir pour enlever le corps.

— Et tu trouves que c'est plus vraisemblable ? demanda ma mère.

— Très bien, concéda mon père. Alors, dis que c'était un accident.

Stone passa la tête dans l'entrebâillement de la porte.

— Eh bien ? demanda-t-il.

— J'espère que vous tiendrez compte de son âge, soupira ma mère.

— Il s'amusait à lancer le couteau contre un arbre, hasarda mon père. C'était un malheureux accident.

Vous comprenez qu'avec des parents comme les miens, je n'ai pas besoin d'un procureur.*

celui qui représente quelqu'un en justice

Mes parents m'ont poussé dans une chambre afin de se consulter. Pendant ce temps, les flics essayaient de joindre les parents de Sharon, les Cole. Je n'avais pas envie d'attendre gentiment leur retour. Ils seraient sans doute énervés d'apprendre que j'avais assassiné leur fille. Avec leur argent et leur influence, ils feraient certainement rétablir la peine de mort, rien que pour moi. Si seulement Sharon réapparaissait ! Puisqu'il semblait qu'elle n'avait pas l'intention de le faire d'elle-même, je décidai qu'il était largement temps pour moi de partir à sa recherche.

Il suffisait de tendre le bras, par la fenêtre de la chambre, pour atteindre la branche d'un pommier. Je jetai un coup d'œil dans le jardin : les hommes de Stone rangeaient leur matériel. J'attendis qu'ils disparaissent un à un dans la maison.

Avec une admirable agilité, je m'élançai de la fenêtre et agrippai la branche qui cassa. Je me retrouvai suspendu tout au bout, à me balancer comme un plomb au bout d'un pendule. Un dernier saut et j'atterris dans un bruissement de feuilles. Je rebondis par terre et levai les mains en l'air. Mieux vaut se rendre plutôt que d'être tué en essayant de fuir, pensai-je, (je présumais que les flics avaient des fusils pour se protéger contre les dangereux criminels comme moi). Mais personne ne semblait m'avoir repéré. Ils étaient sans doute trop occupés à recueillir des preuves.

Je courus, accroupi derrière les buissons, le long du jardin, sautai par-dessus la clôture et disparus parmi les arbres. Quelques secondes plus tard, j'entendis des voix et un bruit de pas qui se rapprochaient. Tout près de moi, il y avait un chêne : j'y grimpai et me dissimulai rapidement au milieu des feuilles. C'était le joyeux escadron de Stone qui revenait sur le lieu du crime. D'après ce que disaient les flics, le cadavre restait toujours introuvable. Encore heureux !

Après leur départ, je pris un sentier qui menait à la route principale et regagnai discrètement la ville. Dès que les flics découvriraient que je m'étais enfui, le pays serait ratissé, les routes bloquées, les aéroports mis sous surveillance et Interpol alerté. Ma photo serait diffusée sur toutes les chaînes de télévision avec un avertissement : *Attention, ce jeune homme est un dangereux criminel. Si vous le voyez, alertez immédiatement la police.*

En entendant le bruit d'un hélicoptère, je plongeai aussitôt dans le fossé.

En général, une personne en détresse peut parcourir des kilomètres et des kilomètres sans rencontrer un seul policier. Mais aujourd'hui, tous les représentants de la loi semblaient s'être donné rendez-vous sur mon trajet : les agents de la circulation, les officiers qui patrouillaient en voiture, l'air faussement insouciant, sans parler des flics en civil qui surveillaient les alentours.

Il me vint à l'esprit que si Sharon avait éprouvé le besoin de se faire aider par un homme – ce qui était peu vraisemblable – elle serait peut-être allée chercher mon rival, Tony. Ses parents possédaient un bureau de tabac dans une petite rue misérable et ils habitaient l'appartement du dessus. Pas très reluisant pour un ami de Sharon mais, comme sa mère le disait toujours, en baissant le nez vers moi : *Sharon n'a aucun sens de sa position sociale.*

Afin d'éviter les patrouilles, je pris une ruelle, derrière les boutiques. Tony devait être en train de bricoler sa moto, dans sa courette. Sa moto était bel et bien là mais pas Tony. J'empruntai donc l'escalier de l'immeuble et frappai à la porte.

J'entendis des pas lourds puis la porte s'ouvrit :

– Salut, Tony ! dis-je.

– Eurf ? fit-il avec à propos.

– Je cherche Sharon. Elle est ici ?

Il me fixa d'un air inexpressif avant de répondre :

– Non, Sharon n'est pas là.

Avait-il hésité parce que c'était un mensonge ou bien parce qu'il mettait beaucoup de temps à répondre à une question simple ? Je le traite souvent de lourdaud mais le terme est faible. Plus âgé que moi, beau (le genre fadasse qui attire parfois les filles jeunes et immatures comme Sharon), il n'avait pas plus de cervelle qu'un petit pois !

– Je dois lui parler, repris-je.

– Lui parler ?

Son esprit se débattit un moment avec cette requête tortueuse puis il sourit sournoisement.

– Tu peux pas, vu qu'elle est pas là.

– Tu me laisses entrer ?

– Non.

J'aurais bien aimé le mettre K.O., et entrer chez lui pour chercher Sharon. Malheureusement, il était presque deux fois plus grand que moi et jouait au rugby dans l'équipe locale. Il me fallait un subterfuge. Avec lui, ce ne serait pas très compliqué.

– Pourquoi as-tu peint des raies rouges sur ta moto ? demandai-je.

– Peint... QUOI ?

L'escalier d'acier vibra quand il descendit les marches six à six.

J'en profitai pour inspecter rapidement l'appartement. Tony avait dit la vérité : Sharon ne s'y trouvait pas. Je sortais de la chambre quand il revint en tonitruant, les poings serrés. Il était fou de rage.

– Il n'y a pas de rayures rouges !

– Vraiment ? Alors, mes yeux me jouent des tours. Je devrais voir l'ophtalmo.

– Fais-moi encore le coup et c'est le croque-mort que tu verras !

Bel esprit de répartie pour quelqu'un comme Tony, je l'avoue.

J'AURAIS BIEN AIMÉ LE METTRE K.O.

Et maintenant, que faire ? Je décidai de mettre Tony au courant : après tout, une moto me serait utile pour chercher Sharon.
– Sharon a disparu ! Tu peux m'aider à la retrouver ?
– Moi ? T'aider ?

L'idée le contrariait visiblement.
– Pourquoi tu veux la retrouver ?

Question sensée qui méritait une réponse sensée.
– Elle a des ennuis. Les flics la cherchent.
– Eurf ?

J'interprétai ce grognement comme signifiant *c'est terrible !
Qu'est-ce qu'on peut faire ?* Et je répondis :
– La retrouver avant eux. On l'avertira. OK ?

À l'arrière de la moto, j'étais à l'abri des regards indiscrets : avec le casque et sa visière en Plexiglas, je ressemblais à un extraterrestre.

Tony tourna la tête pour me hurler :
– Pourquoi les flics cherchent Sharon ?

Ah, enfin il me posait la question !
– Ils croient qu'elle a tué quelqu'un.

À L'ARRIÈRE DE LA MOTO, J'ÉTAIS
À L'ABRI DES REGARDS INDISCRETS...

— Ils croient... quoi ?

— Elle voulait s'amuser mais la police pense qu'il s'agit d'un meurtre.

La moto hoqueta et fit une embardée. Le moteur venait-il d'exploser ? Non, c'était Tony. Il riait.

— Elle est fantastique, pas vrai ? dit-il d'un ton admiratif.

— C'est sûr, fantastique.

Nous stoppâmes devant la maison de Mary Hubbard, l'une des rares amies de Sharon. Sharon préférait les garçons, probablement parce qu'ils faisaient ses quatre volontés sans jamais demander d'explications. Exactement comme Tony et moi.

Tony sonna à la porte tout seul. Moi, je restai assis sur la moto, en gardant le casque sur la tête pour ne pas être reconnu. Je vis Tony parler à la mère de Mary, puis à Mary. Il revint en secouant la tête.

— Elles ne l'ont pas vue depuis la semaine dernière.

Où diable cette fille fantastique s'était-elle cachée ?

Nous retournâmes vers le centre-ville, roulant tout doucement, à la recherche d'une fille élégante, aux cheveux blonds, portant un tee-shirt rose et un vieux blue-jeans. Soudain, je l'aperçus ! Elle n'était pas très loin de nous, le dos tourné, en train de regarder la vitrine d'une boutique de vêtements. Je la montrai du doigt et Tony accéléra. Quand nous atteignîmes la boutique, Sharon avait bifurqué dans la petite rue, où se tient un marché, le samedi. Une foule dense grouillait autour des étalages. Aucune voiture ne pouvait passer, juste une moto.

Debout sur le repose-pieds, regardant par-dessus les têtes des marchands de quatre saisons, je la repérai derrière un étalage de fruits, au bout de la rue.

— Vite ! hurlai-je à Tony.

J'ATTERRIS AU MILIEU DES CAGEOTS, DANS
UNE AVALANCHE D'ORANGES ET DE POMMES.

Les passants s'écartèrent de notre chemin, le regard mauvais, montrant le poing. « *Voyous ! Délinquants !* » nous criaient-ils. Pourquoi des jeunes gens aussi inoffensifs que Tony et moi, déclenchaient-ils autant d'hostilité sur leur passage ?

Bien sûr, j'ignorais ces gens : j'étais lancé dans une affaire de survie, la mienne.

Nous avions presque atteint l'étalage de fruits quand une dangereuse conductrice de poussette d'enfant nous barra le passage. Tony freina brusquement pour les éviter, elle et son marmot braillard. La moto fit une embardée et il lâcha le guidon. Le résultat fut spectaculaire. Propulsé du siège arrière, je décrivis une courbe gracieuse dans les airs, et atterris au milieu des cageots, dans une avalanche d'oranges et de pommes. Tony vint s'étaler à côté de moi. La moto gisait à nos pieds, le moteur toujours vrombissant.

J'arrachai mon casque. À ma gauche, le marchand de fruits rondouillard sautillait sur place, exercice qui ne pouvait que lui être salutaire. À ma droite, se tenait la fille au tee-shirt rose et au vieux blue-jeans. Son visage exprimait la surprise, mais ce n'était pas Sharon.

En contre-plongée, la masse volumineuse du sergent Grant se détachait sur le décor.

– Je te cherchais, me dit-il.

C'EST TROP BÊTE : AVOIR
COURU AUTANT DE DANGERS...
ET SE RETROUVER AU
POINT DE DÉPART !

3

À la rescousse

Quand j'arrivai chez les Cole, escorté du Sergent Grant, l'inspecteur Stone m'attendait dans l'entrée.

— Alors, tu as cru que tu pouvais t'enfuir, hein ? Tu n'échapperas pas comme ça à la justice !

De toute évidence, il considérait ma fuite comme la preuve irréfutable de ma culpabilité.

— Surveillez-le, Haley, aboya-t-il. À partir de maintenant, ne le quittez plus des yeux. Grant, allez chercher son complice.

L'agent Haley se colla contre mon épaule. Au moindre mouvement de ma part, elle m'empoignait. Grant revint avec Tony qui avait suivi la voiture de police à moto. Elsie semblait satisfaite.

Ma mère soupira : voir son unique enfant prendre le chemin de la prison lui brisait le cœur.

Mon père lui donna une tape amicale :

— Du courage, ma vieille.

— C'est terrible, dit-elle, éplorée. J'ai laissé le beefsteack sur le feu. Il doit être calciné à l'heure qu'il est.

Stone se tourna vers Tony qui venait d'entrer.

— Maintenant, je veux la vérité. Pourquoi as-tu aidé ce criminel à s'échapper ?

— Eurf ?

Même Stone se rendit compte que ce n'était pas de la comédie. Tony était vraiment abruti. L'inspecteur recommença donc avec une question plus facile :

— Quel est ton nom ?

Je balayai la salle du regard. Outre la perspective de passer le reste de ma vie en prison, quelque chose me tracassait.

Quelque chose dans la pièce... L'escalier d'acajou... La moquette épaisse, la table... Oui ! C'était ça ! La surface rutilante de la table ne comportait aucun objet quand j'étais arrivé, le matin. À présent, il y avait une enveloppe sans timbre. « POUR MONSIEUR AUGUSTUS COLE », lisait-on en lettres capitales.

Qui l'avait posée là ? Elsie n'avait pas eu le temps de laisser un billet quand elle avait déguerpi. Sharon n'aurait pas écrit à son père « Monsieur Cole ». Et cela ne venait sûrement pas de la police. Quelqu'un d'autre avait dû se trouver dans la pièce, ce matin, après mon départ.

Je m'éclaircis bruyamment la gorge.

— Excusez-moi, Inspecteur...

Stone se retourna, contrarié d'avoir été interrompu. Je lui tendis l'enveloppe :

— Vous devriez jeter un coup d'œil. C'est peut-être important.

Il hésita, soupçonneux. Puis il me la prit des mains, fronça des sourcils et l'ouvrit. Ses yeux s'élargirent au fur et à mesure qu'il lisait.

— Incroyable !

Il prit sa respiration et se mit à lire à voix haute :

« *Nous tenons votre fille. Si vous voulez la revoir vivante, vous devrez payer cinq cent mille livres sterling en billets usagés avant lundi soir. Rendez-vous à la cabine téléphonique près de Canal Bridge, ce soir à 19 h, où vous recevrez d'autres instructions. N'appelez pas la police. Si vous ne suivez pas ces conseils à la lettre, vous pouvez dire adieu à votre fille* ».

Je revis la silhouette tapie à l'orée du bois, ce matin. La peur me saisit.

— Alors, vous comprenez ce qui est arrivé ? lui dis-je.

Stone me regarda avec une sorte d'admiration.

— Bravo ! répondit-il. Ton imagination fertile me laisse pantois. D'abord, tu nous racontes que la pauvre fille feignait d'être morte, ensuite qu'elle écrivait un roman et maintenant, tu veux nous faire croire qu'on l'a kidnappée !

Il fonça sur moi, les mâchoires en avant.

— Quand as-tu écrit ce billet ?

— Je ne l'ai pas écrit, je l'ai simplement vu sur la table.

J'avais haussé le ton, paniqué.

— Vous ne comprenez pas ? Sharon a été kidnappée ! Voilà pourquoi elle a disparu ! Le ravisseur a sûrement laissé ce billet avant votre arrivée. Elle court un terrible danger. Vous devez agir tout de suite !

Stone soupira.

— Tu vas arrêter de te moquer de moi ?

J'eus un geste d'impuissance.

— Inspecteur, je ne me moque pas de vous.

Il ne m'écoutait même pas.

— Et quand on retrouvera son cadavre, on pensera que les kidnappeurs l'ont tuée, hein ? Tu veux me faire avaler ça ? Là, tu te fourres le doigt dans l'œil !

Je regardai autour de moi, cherchant de l'aide. Haley et Grant secouaient la tête comme s'il n'y avait rien à tirer de moi. Elsie reniflait. Ma mère sanglotait toujours et mon père me lança un clin d'œil complice, comme pour me dire : « *Tu as eu raison d'essayer, mon fils !* »

Stone s'éloigna de moi et recommença à questionner Tony.

— Pourquoi Merton et toi, avez-vous essayé de fuir sur ta moto ?

— Comment ça, fuir ?

— Est-ce que tu as aidé Merton à se débarrasser du corps ?

— Quel corps ?

— Je parle de Sharon Cole !

— Eh bien quoi, Sharon Cole ?

Cela aurait pu continuer longtemps. Je tirai Haley par la manche.

— Attends, murmura-t-elle. Ton tour viendra.

— Je ne peux pas attendre ! dis-je en désignant une porte, dans un coin de la pièce.

— Oh !

Elle réfléchit intensément. Refuser à un prisonnier d'aller aux cabinets était un traitement cruel et inhumain, sûrement condamné par la loi, surtout devant témoins. Devait-elle entrer avec moi ou me laisser tranquille ? Elle finit par se décider :

— D'accord, mais ne traîne pas. Je t'attendrai devant la porte.

J'entrai dans les cabinets et m'enfermai à double tour.

PASSER PAR LE HAUT DE CETTE FENÊTRE MINUSCULE
FUT UNE PROUESSE CONSIDÉRABLE.

Je ne suis pas vraiment un poids lourd. Plutôt un poids coq, pour ne pas dire un poids plume. Néanmoins, passer par le haut de cette fenêtre minuscule, la seule partie qui s'ouvrait, fut une prouesse considérable. Je me tortillai, je me tortillai… Les épaules passèrent, puis le ventre, j'attrapai l'appui et ouf… je dégringolai sur le sol !

Je me retrouvai sur un sentier, face au mur séparant les Cole de leurs voisins. D'un bond, je m'y agrippai des mains, puis des pieds. Une poussée rapide et j'atterris dans les buissons, de l'autre côté. À l'ombre des haies, je me dirigeai vers la route quand j'entendis une moto démarrer dans l'allée des Cole. La moto de Tony... Stone avait dû décider qu'il était innocent ou trop idiot pour être coupable.

La moto déboucha du sentier en rugissant et bifurqua vers la ville. À ma vue, Tony ralentit et je sautai en selle.

— Vite, plus vite ! hurlai-je dans son oreille.

Alors que nous tournions, au bout de la rue, une grosse limousine grise nous dépassa. Un grand homme en gris conduisait, assis à côté d'une grande femme en gris. Tous deux arboraient un air hautain. Lorsque les Cole — parce que c'était eux — rentreraient, le spectacle ne manquerait pas de piquant !

— Nous sommes absolument désolés mais votre fille a été assassinée. Nous avions arrêté le meurtrier, malheureusement il s'est échappé deux fois...

J'étais content de ne pas y être.

La chasse à l'homme commença. Deux flics passèrent chez moi en voiture. L'un frappa chez les voisins pour demander s'ils m'avaient aperçu. L'autre entra dans la maison pour la fouiller avant d'inspecter le jardin. Il voulut ouvrir la porte de la remise où nous stockons le charbon, mais il s'aperçut qu'elle était verrouillée et munie d'un vieux cadenas bien fermé. Certain que je ne pouvais pas être là, il repartit et la voiture redémarra.

Tony, la moto et moi, nous étions précisément à l'intérieur de la remise, au milieu de la vieille poussière de charbon.

— Qu'est-ce qu'on fout ici ? demanda Tony.

Il n'y comprenait rien, le malheureux. Depuis deux heures, sa vie était devenue un cauchemar.

— Je vais t'expliquer, répondis-je.

Je ramassai deux boulons mal vissés, tout ce qui restait des gonds de la porte, et je l'ouvris, non sans mal. Nous nous faufilâmes dans la maison sans être repérés et là, nous vidâmes le frigo : quand on projette d'aider une demoiselle en détresse, il faut prendre des forces.

— Qu'est-ce qu'il mijote, l'inspecteur ? demanda Tony.

Je suppose que n'importe qui aurait été déconcerté. J'exposai donc les faits à Tony, aussi clairement que possible. Je ne lui cachai pas que Sharon était vraiment en danger… Quand j'eus fini de tout lui raconter, il nageait encore.

— J'y comprends rien. Sharon a été tuée, elle s'est enfuie pour écrire un livre ou on l'a kidnappée ?

— On l'a kidnappée, répondis-je. Nous devons absolument la retrouver.

— C'est pas le boulot des flics ?

— Si mais l'inspecteur croit...

Je m'arrêtai. Comment expliquer la situation à un individu aussi obtus ?

— Vois-tu, il y a des gens avec lesquels on ne peut pas discuter. Quand ils se collent une idée dans la tête, rien, vraiment rien, ne peut les faire changer d'avis. L'inspecteur est un homme de certitudes, comme un militant, un extrémiste ou un fondamentaliste.

— Un quoi ?

— Un fou furieux.

Il secoua la tête, perplexe.

— Comment on va la sauver ?

— Chaque chose en son temps. Tout d'abord, allons à Canal Bridge à 19 h.

C'était une chaude fin d'après-midi d'été, et les eaux fuligineuses* du canal scintillaient sous les rayons déclinants du soleil. Aucun passant n'aurait remarqué les deux jeunes gens qui pêchaient, assis sur le chemin de halage. Sans doute un pêcheur du coin aurait-il su

*couleur de suie

que personne n'avait jamais attrapé de poisson dans le canal. Pourvu que les ravisseurs ne connaissent rien à la pêche...

Je jetai un coup d'œil sur ma montre. 18 h 50. Plus que dix minutes. Je surveillai sans faiblir la cabine téléphonique au bout du pont.

– Qu'est-ce qu'on fait quand le téléphone sonne ? demanda Tony. Est-ce qu'on répond ?

– Non, lui dis-je. On ne répondra pas parce qu'il ne sonnera pas.

– Mais le billet...

– Ne pense pas au billet. D'après moi, le plan des ravisseurs est très au point. Ce matin, ils surveillaient la maison. Ils ont vu sortir les Cole, ils nous ont vus entrer, Elsie et moi, et après notre départ, ils ont kidnappé Sharon en la menaçant avec un couteau. Maintenant, ils veulent être sûrs que Cole est bien dans

AUCUN PASSANT N'AURAIT REMARQUÉ LES DEUX JEUNES GENS QUI PÊCHAIENT.

UN IVROGNE APPARUT, TITUBANT COMME UN ACTEUR COMIQUE...

la cabine téléphonique, et qu'il n'y a pas de flic dans les parages. Comme il n'est pas là, ils ne téléphoneront pas.

— Comment est-ce qu'ils sauront s'il est là où pas ?

— Voilà comment je vois le problème : le kidnappeur A doit attendre quelque part, à un autre téléphone, d'accord ? Le kidnappeur B va arriver d'un moment à l'autre, comme s'il était un passant ordinaire. Il jettera un coup d'œil sur la cabine et rapportera le résultat au kidnappeur A. Tu me suis ?

Tout en parlant, je surveillai le pont. Plusieurs voitures circulaient mais trop vite pour repérer les lieux. Il y avait aussi quelques passants. Une fille et un type marchaient les yeux dans les yeux. Ils n'auraient pas remarqué la cabine à moins de rentrer dedans. Un ivrogne apparut, titubant comme un acteur comique dans un mauvais feuilleton-télé. Il en faisait vraiment trop pour être honnête.

Les rouages cérébraux de Tony étaient toujours grippés.

— Je comprends pas...

— Chut ! lui dis-je.

Une silhouette venait de surgir, celle d'un homme grand et gros, vêtu d'un blue-jeans. C'était le type que j'avais aperçu le matin même, à l'orée du bois ! Cette fois-ci, je distinguai ses petits yeux, ses lourdes mâchoires et son nez aplati.

C'est lui ! chuchotai-je à Tony. Le kidnappeur B ! Le gros bonhomme sur le pont. Ne le regarde pas ! Fais semblant de pêcher !

Je jetai ma ligne dans l'eau et Tony plongea son épuisette. Le gros bonhomme se pencha négligemment au-dessus du parapet tout en lorgnant vers la cabine. Il nous ignora.

Au bout de dix minutes, il fouilla dans la poche de son manteau et en sortit un téléphone portable. Il fit un numéro et sembla engager une conversation.

— Tiens-toi prêt, chuchotai-je, en rangeant ma canne à pêche. Quand il partira, on le suivra à tour de rôle pour qu'il ne se méfie pas. D'abord, je le suis et tu me suis. Puis tu le suis et je te suis. Tu as compris ?

— Bien sûr, répondit Tony qui reprit :

— Qui suit qui ?

Batman avait-il eu ces problèmes avec Robin ? Ou Sherlock Holmes avec le Docteur Watson ?

— Fais ce que je te dis !

JOE ET TONY TIENNENT
ENFIN UNE PISTE SÉRIEUSE.
MAIS OÙ VA-T-ELLE
LES MENER ?

4

À l'attaque !

Vingt minutes plus tard, nous nous retrouvâmes dans le quartier le plus sordide de la ville. Tony suivait le Gras avec la stricte recommandation de ne pas le perdre de vue. Je le surveillai à une distance raisonnable. En le voyant disparaître à un tournant, je pressai le pas. Quand je le rattrapai, il attendait, adossé contre une porte, et regardait autour de lui d'un air vague.

— Où est-il passé ? murmurai-je.

— J'en sais rien.

— Tu n'en sais rien ?

— Il a tourné dans cette rue mais quand je suis arrivé, il avait disparu.

J'examinai l'immeuble délabré près de nous. C'était le vieil Alhambra, un ancien théâtre qui avait été transformé en cinéma, puis de nouveau en théâtre. Il y a deux ans, on l'avait abandonné aux rats parce que personne n'arrivait à le rentabiliser. Excepté, peut-être, ceux qui y cachaient les jeunes filles kidnappées...

Un doigt posé sur les lèvres, je contournai l'immeuble par une ruelle adjacente, suivi de Tony. Je m'arrêtai devant une porte à la peinture écaillée, où l'on pouvait encore lire : "Entrée des artistes". Je tournai doucement la poignée. Elle ne s'ouvrait pas. La lumière du jour baissait, mais je vis nettement quelque chose luire autour de la serrure : de l'huile fraîche.

Nous longeâmes l'immeuble. La plupart des fenêtres étaient cassées mais protégées par des barreaux en fer. J'essayai de regarder à l'intérieur mais il n'y avait rien à voir... jusqu'à ce que j'atteigne la dernière fenêtre. Elle était masquée par un

LE GRAS VENAIT D'ENTRER DANS LA PIÈCE... IL ÉTAIT SUIVI D'UN PETIT ÊTRE

rideau de velours fané, probablement un rideau de scène. Je ramassai un bout de bois et l'introduisis par la vitre cassée, entre deux barreaux, pour écarter un coin du rideau. Tony et moi, nous scrutâmes l'obscurité.

C'était une de ces loges d'acteur miteuses, juste meublée d'une table, en face d'un miroir craquelé. Des plateaux sales et une bouteille de bière vide traînaient encore, et des vieux crayons de maquillage dépassaient d'une boîte de conserve rouillée. On aurait dit que les acteurs avaient fui le public en laissant tout en plan. Maintenant, la pièce avait un nouvel occupant : une fille, accroupie sur un vieux matelas, dans un coin, les mains liées et la bouche collée avec du sparadrap.

– Sharon ! haleta Tony.

– Ne crie pas si fort ! murmurai-je.

– Appelons la police !

SEC ET NERVEUX QUI RESSEMBLAIT PLUS À UN RAT QU'À UN HOMME...

— On ne peut pas.

— Pourquoi ?

— Les ravisseurs ont menacé de la tuer si les flics s'en mêlaient. Elle sera morte avant qu'on n'ait pu la délivrer.

— Mais qu'est-ce qu'ils attendent, les flics ?

— Ils la croient déjà morte !

Sharon, qui avait entendu nos voix, se tortillait de rage sur le matelas, en gargouillant. Je glissai la main par le trou de la vitre et l'agitai. Piètre réconfort.

Tony recula.

— Je pourrais enfoncer la porte, dit-il.

— Oui, mais ils nous tueront ! lui fis-je remarquer.

Une clé cliqueta dans une serrure ; je regardai par la fenêtre. Le Gras venait d'entrer dans la loge, apportant un plateau avec un verre d'eau et une assiette de haricots blancs, figés dans de la sauce tomate. Il était suivi d'un petit être sec et nerveux, qui ressemblait plus à un rat qu'à un homme.

— Enlève-lui le sparadrap, Harry, lui dit le Gras.

Harry décolla le sparadrap. Cela devait être très douloureux mais Sharon ne poussa pas un cri. Puis il lui détacha les mains.

— Ton père n'est pas venu, ce soir, dit-il. On va lui donner une deuxième chance. S'il n'en profite pas, tu pourras faire tes prières.

La malheureuse petite créature allait-elle éclater en sanglots sur sa paillasse ? Pas du tout. Sharon fixa Harry d'un air furibond.

— Comment osez-vous me traiter ainsi ? lança-t-elle.

Je reconnus le ton. C'était celui que sa mère utilisait quand elle m'adressait la parole : une duchesse remettant la piétaille à sa place.

— Tu as entendu ça, Sam ? demanda Harry.

— J'ai entendu, répondit le Gras en posant l'assiette devant Sharon.

— Fais attention à ce que tu dis, poulette, sinon il va t'arriver des pépins.

S'il pensait l'effrayer, il avait tort.

— Vous ne croyez pas que je vais manger cette merde ? demanda-t-elle.

La large figure de Sam rougit de colère. Il s'agenouilla et rapprocha son gros nez de son joli minois.

— Tu mangeras ce qu'on te donne ou rien du tout. Tu m'entends ?

— J'entends, dit Sharon. Je ne mangerai rien. Vous pouvez reprendre ça.

Elle prit l'assiette et lui

en versa le contenu sur la tête. Sam poussa un cri de rage et ses énormes mains se tendirent vers le cou de Sharon. Mon cœur fit un bond.

— Ne la touche pas ! aboya Harry.

— Bon sang ! Je vais l'étrangler ! cria Sam.

— Pas encore ! Si on doit prouver à ses parents qu'elle est toujours vivante, il faudra la photographier en train de lire le journal !

Il montra ses dents de rongeur.

— Attends qu'ils donnent la rançon et que je file avec ma part. Alors là, si tu veux, tu pourras l'étrangler.

Soudain, une idée illumina mon esprit... Un plan d'autant plus risqué que ses chances de réussite dépendaient en partie de Tony. Mais il fallait l'essayer, et vite, tant que Sharon n'était pas ligotée.

Je conduisis Tony devant la grand-porte du théâtre et lui donnai mes instructions. Je ne lui demandai surtout pas s'il avait compris : je voulais garder le moral.

— Tu comptes jusqu'à dix et tu y vas ! lui dis-je.

Je revins en courant à la fenêtre. Sharon buvait son verre d'eau par petites gorgées, ignorant les deux hommes qui la regardaient d'un air menaçant. Je me mis à compter mentalement : quatre... trois... deux... un... Des coups violents et des cris retentirent à la porte de l'immeuble. Les deux hommes sursautèrent.

— Que se passe-t-il ? demanda Sam.

— Je vais voir, dit Harry.

Et il sortit précipitamment de la pièce.

Je jetai un coup d'œil de côté : Tony revenait à toute allure. Il s'arrêta devant l'entrée des artistes et se remit à frapper et à hurler. Sam sursauta et sortit aussitôt de la loge, après avoir fermé à clé derrière lui.

— Sharon ! murmurai-je.

Elle bondit sur ses pieds et atteignit la fenêtre en deux enjambées. Je lui exposai mon plan qu'elle approuva. Elle au moins, elle comprenait.

Tony était reparti à l'entrée de l'immeuble et je pris sa place devant l'entrée des artistes. Tous les deux, nous nous mîmes à frapper et à hurler...

J'entendis les voix des bandits, à l'intérieur du théâtre.

— Que se passe-t-il ? demanda Sam.

— J'en sais rien ! répondit Harry. On dirait qu'il y a un cinglé dehors. Je le vois à travers la fente.

— Il y en a un autre ici, hurla Sam. Je m'en occupe !

J'arrêtai de cogner et Tony eut le bon sens d'en faire autant.

— C'est fini, cria Sam.

— Ici aussi !

Puis la voix d'Harry se rapprocha, derrière l'entrée des artistes :

— Et la fille ?

— Elle va bien. J'ai fermé la porte.

— Il faut la ligoter. Je m'en charge. Toi, tu restes ici, au cas où ces deux dingues reviendraient.

Les pas d'Harry s'éloignèrent dans le corridor et je revins à la fenêtre, juste à temps pour le voir entrer dans la loge.

— Maintenant, mignonne... commença-t-il.

Mais il n'alla pas plus loin. Il fixa le matelas, pétrifié d'horreur, et hurla :

— SAM !

Le Gras entra en courant et s'arrêta brusquement, les yeux agrandis de terreur. Sharon gisait sur le matelas, blanche comme de la craie, et le cou marqué de meurtrissures mauves. Elle fixait le plafond d'un air terrifié, comme ce matin, quand je l'avais découverte sur le banc du jardin.

— Espèce de crétin ravagé ! cria Harry. Tu l'as tuée!

Sam haletait. Enfin, il articula :

— Je ne l'ai pas touchée, Harry ! Je te le jure !

Harry fonça sur lui, écumant de colère.

— Maintenant, comment on fera pour prouver qu'elle est vivante ?

Il poussa un cri de rage impuissante et sortit de la pièce en courant.

— Je ne veux pas être complice de ton crime, espèce d'andouille mal embouchée ! Je me tire !

Sam le suivit, protestant en vain, et je m'écartai de la fenêtre,

soulagé, juste à temps
pour voir Tony, sur le
trottoir d'en face, prendre
son élan.
— NON ! hurlai-je.

Trop tard. Il était déjà parti
comme une fusée et vint s'écra-
ser contre la vieille porte délabrée
qui céda dans un fracas épouvan-
table. Il tomba à l'intérieur, tête la
première, et rebondit sur ses
pieds avant que j'aie pu
l'attraper. Il fonça sur
la scène, tourna à
gauche en direction
des loges, et heurta les
deux bandits qui arri-
vaient en sens inverse.

Tous deux réagirent aus-
sitôt. Sam, qui était plus
lourd et plus fort que Tony,
le jeta par terre d'un mouli-
net du bras. Harry se préci-
pita sur moi. Paniqué, je
tournai autour de la
pièce pour lui échap-
per. Il se jeta sur
moi et je m'effon-
drai sous son poids.

Face contre terre,
j'eus la certitude
qu'on allait enfin
assassiner quel-
qu'un.

Et que la victime, ce serait moi. Tony aussi, bien sûr. Mais lui ne l'avait pas volé. Je fermai les yeux, attendant le coup fatal. Rien ne se passa. Soudain, il y eut des bruits de mêlée et des trépignements. Quand j'ouvris les yeux, des policiers avaient envahi la scène.

L'inspecteur Stone, Grant et Haley, mes vieilles connaissances, étaient là. Deux flics inconnus agrippèrent Sam tandis qu'un troisième empoignait Harry. Je reconnus mon sauveur : c'était le faux ivrogne qui titubait sur le pont. En fait, l'inspecteur Stone avait tenu compte du billet des ravisseurs et nous avait suivis jusqu'à l'Alhambra. Il avait bien mené son coup.

— Où est la fille ? interrogea-t-il d'une voix de stentor.

— Dans la loge, répondit Harry, d'un ton amer. Elle est morte.

— Nous le savons, dit Stone, l'air lugubre.

Il fit un signe de tête à Haley qui se dirigea vers la loge.

— Ce n'est pas moi qui l'ai tué, je le jure, couina Sam.

— Bien sûr que ce n'est pas toi, dit Stone d'un ton rassurant. Nous savons qui l'a tuée !

Il se tourna vers moi.

— Tu étais donc acoquiné à ce gang depuis le début ? Je me demandais comment tu t'étais débarrassé du corps tout seul.

— Inspecteur, dis-je, vous devriez plutôt vérifier avant de...

Une fois de plus, il me coupa :

— Si jeune et déjà si endurci ! Réclamer de l'argent aux parents de cette pauvre fille alors que tu l'avais déjà tuée ! De toute ma vie, je n'ai jamais rencontré un criminel aussi...

Tandis qu'il regardait par-dessus mon épaule, sa voix faiblit. Au même instant, Sam poussa un cri terrifié comme s'il venait d'apercevoir un fantôme.

Sharon se tenait à l'arrière de la scène.

— Qui êtes-vous ? lui demanda Stone.

Mais il connaissait la réponse. Il avait l'expression incrédule et consternée de l'homme dont tout l'univers vient de s'effondrer.

Sharon ne payait pas de mine. Son visage et son cou gar-

daient encore des traces de meurtrissures violettes. Elle avait
fait des prouesses avec ces vieux crayons de maquillage !
– Je suis Sharon Cole, déclara-t-elle, imperturbable. Vous en
avez mis du temps à venir !

Les Cole menacèrent de
se plaindre au commissaire pour la façon désastreuse dont cette
affaire avait été menée. Mon père menaça d'intenter un procès à
la police, coupable d'avoir harcelé son fils et massacré un dîner.
Après avoir retrouvé ses esprits, Stone menaça de porter plainte

pour fausse alerte, mystification de la police et falsification de preuves.

Après bien des querelles dans le salon des Cole, toutes les parties en présence se mirent d'accord pour suspendre les hostilités. Pas de plaintes, pas de poursuites. Et pour le plus grand bien de tous, on n'ébruiterait pas l'histoire.

Je quittais la maison lorsque Sharon s'approcha de moi, me jeta les bras autour du cou et m'embrassa.
– Merci, Joe ! s'écria-t-elle.

J'eus un sourire à la fois modeste et viril. Enfin, elle reconnaissait que j'étais un type formidable !
– Merci à toi aussi, Tony ! dit-elle en embrassant l'autre.

La trogne de mon rival vira au rose vif et il lui sourit de son air le plus idiot.

J'eus envie de les tuer tous les deux. Mais après réflexion, je me dis que cela m'attirerait trop d'ennuis.

Fin

Pour en savoir plus sur l'auteur et l'illustrateur de ce roman, voir page 65

AVRIL 1997

*É*crivez
à Je Bouquine,
posez
vos questions
à l'auteur,
dites-lui
ce que vous
avez pensé
de son roman.
Il vous répondra
dans la rubrique
«Cher auteur,
cher lecteur ».
Lettre à découper
et à envoyer à :
Rédaction
de Je Bouquine,
3, rue Bayard,
75 393 Paris
Cédex 08.
Ou par Minitel
3615 Je Bouquine.

NOM.................... PRÉNOM.............. ÂGE....

ADRESSE...

VILLE....................... CODE POSTAL..............

JE BOUQUINE

....

....

....

....

....

....

....

....

....

....

....

....

....

....

....

Écrivez à Je Bouquine, posez vos questions à l'auteur, dites-lui ce que vous avez pensé de son roman. Il vous répondra dans la rubrique «Cher auteur, cher lecteur». Lettre à découper et à envoyer à : Rédaction de Je Bouquine, 3, rue Bayard, 75 393 Paris Cédex 08. Ou par Minitel 3615 Je Bouquine

JE BOUQUINE

ROMAN
Les auteurs

John Tully
L'écrivain

John Tully habite tout près de Londres. De son bureau, au premier étage de sa maison, il aperçoit son jardin. Est-ce cela qui lui a inspiré cette drôle d'histoire ?  « J'avais envie d'écrire un roman policier pas comme les autres. Je me suis dit : Et s'il n'y avait pas de meurtre ? Ridicule, bien sûr. Mais supposons que la police cherche quand même des indices, trouve un coupable... J'ai continué, et voilà ! ». Cela fait des années que John Tully écrit : « Depuis que j'ai abandonné le métier de reporter, j'écris des romans mais je travaille aussi pour le cinéma, la télévision et la radio. J'aime tout, surtout si cela me rapporte de l'argent ! » Et quand il n'écrit pas ? « J'occupe mes doigts : je fabrique des maquettes d'aéroplanes, je construis des murs dans mon jardin ou je remplis les placards de la cuisine ! »

Arthur Robins
L'illustrateur

Tous les matins à 9 heures, Arthur Robins quitte sa maison et se rend dans son atelier, juste au fond de son jardin. C'est là que commence son travail  d'illustrateur : « Je lis l'histoire, je prends des notes, j'essaie de comprendre les personnages, puis je m'inspire de tout ce que j'ai sous la main ou dans la tête ! » C'est la seconde fois qu'Arthur illustre un roman de John Tully : « Le premier s'appelait *Opérations Diam's*... Il y a tout ce que j'aime dans les histoires de John : de l'humour, de l'aventure, des maisons chics, des vieux cinémas... On ne s'ennuie jamais ! » Une fois qu'il a bien lu et bien dessiné, Arthur se repose dans un *coffee shop*. Là, il écoute les conversations des autres. « C'est ma seconde activité de la journée, conclut-il en riant. D'ailleurs, j'y vais de ce pas ! »

Vous pouvez leur écrire à : Rédaction *Je Bouquine*, 3 rue Bayard, 75008 Paris.
Ils vous répondront dans le numéro 161

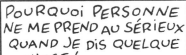

FICHE D'IDENTITÉ
FREDDY LAVAURY
PROFESSION : ROLLER-BOY
ÂGE : 21 ANS
PASSION : LE ROLLER DANS
TOUTES SES DISCIPLINES

JUMPIN' FRED

LE FOU DE ROLLERS

Je dors avec mes rollers ! J'adore le monde du roller. C'est un milieu pacifique, sans haine, avec un esprit de compétition limité au minimum nécessaire pour s'améliorer.

On s'amuse ensemble, on s'admire, on s'encourage mutuellement.C'est en rollers que j'ai connu mes émotions les plus fortes. Surtout ce dimanche 25 août 1996, à Lausanne, en Suisse, lorsque je suis devenu champion du monde de high-jump, le saut en hauteur en rollers. Je suis très fier de ce titre. Ça va faire rire, mais il me fait encore rêver et chaque moment de la journée où je l'ai obtenu est gravé dans ma mémoire.

Je suis avec Éric Forestier, mon manager et avec mon copain-concurrent, Gustavo Angel. Tous les deux, nous appartenons au club du Trocadéro "le Roller team 340".

La veille, nous nous sommes qualifiés pour la finale. Rien d'étonnant pour Gustavo : il vient de remporter le championnat d'Europe à Bercy en sautant 3, 20 mètres. Pour moi, c'est différent. Malgré une place de second au championnat de France en 94, je participe à ma première vraie compétition. Honnêtement, je n'espère

**Freddy Lavaury
est champion du
monde de saut en
hauteur en rollers.
Un concentré
de talent
et de passion
sur roulettes...**

pas décrocher une médaille. Mon seul but : faire mieux que mon copain Gustavo à Bercy.

Le matin de la finale, angoissé, je me réveille très tôt. Bien avant Éric et Gustavo. Je me tourne, me retourne dans mon lit avant de me lever pour faire des exercices d'assouplissement, d'échauffement. Je me masse les cuisses avec de la crème décontractante. C'est très important cette crème, parce que le saut en hauteur malmène pas mal le corps. J'en sais quelque chose ! Je me suis déjà cassé une cheville, tordu un genou et un poignet, fêlé le coccyx ... Le "contest" (c'est le nom que nous donnons à une compétition dans le milieu du roller) a lieu l'après-midi au bord du lac Léman. Gustavo, Éric et moi arrivons à midi. La foule est énorme, 200 000 personnes ! Tout ce monde... un peu stressant. En même temps, c'est tellement bien d'être regardé !

Une mauvaise surprise

On me donne mon numéro : le 475. En attendant nos tours, Gustavo et moi, nous nous tapons des sprints sur 10 ou 20 mètres et nous essayons le tremplin. Pour le "sentir". Mauvaise surprise : il est incurvé et moi, je ne connais que les tremplins droits. Je ne peux pas prendre mon appel ni placer mon corps comme d'habitude et ces changements me flanquent la trouille.

Voilà qu'il se met à pleuvoir. Quelle tuile ! Avec les autres concurrents, j'attends pendant plus d'une heure

que la pluie s'arrête en craignant le refroidissement, le blocage.

Je ne sais pas comment on fait puisqu'entre Américains, Australiens, Allemands, Japonais, Anglais, Italiens, Espagnols ... on ne parle pas la même langue mais on arrive à se faire rire. Peut-être parce qu'on a tous une vingtaine d'années et la même passion ? N'empêche, mon cœur bat de plus en plus vite.

La compétition commence enfin. La pluie a bousculé le programme : toutes les disciplines se déroulent simultanément. Du coup, l'attente est très longue. Ça s'emballe en moi. Pour me calmer, je me force à respirer en rejetant bien l'air pour dégager ma poitrine et surtout, je me répète intérieurement le conseil de mon manager :"*Imagine que tu es au Trocadéro.*" Le "Troca", c'est mon domaine. J'y vais depuis des années alors j'y suis relax.

Le grand écart américain

Je réfléchis aussi à la figure que je vais faire au-dessus de la barre : le grand écart américain, le sac à dos, le papillon, le saut périlleux, le déhanché, les rotations... ? Le roller est un sport très libre où rien n'est imposé. On peut même inventer sa figure pourvu qu'elle ait du style, qu'elle plaise aux juges et au public.

C'est marrant, il m'arrive parfois de sauter et de me poser la question de la figure quand je suis en l'air. Ce jour-là, en tout cas, j'opte pour un grand écart américain parce que c'est la figure qui me permet de passer le plus haut possible.

Chaque concurrent a droit à 8 passages et au choix de sa hauteur. Moi, je commence par 3 mètres puis 3, 20 mètres. Deux tentatives, deux succès. Je demande que l'on monte directement la barre à 3, 40 mètres. Elle tombe une, deux, trois, quatre, cinq fois. Entre deux essais, je dois attendre derrière les autres. Ça me casse le rythme, ça me laisse le temps de regarder la barre, de prendre conscience de sa hauteur, bref, d'avoir peur ! Gustavo, lui aussi, tente le 3, 40 mètres. Les autres concurrents n'ayant pas dépassé 3,10 mètres, nous nous retrouvons, nous les deux copains de la même équipe, l'un contre l'autre.

À notre dernier essai, Éric nous conseille "*Vous êtes fatigués, essayez les 3,30 mètres. Personne ne les a réussis.*" Gustavo tente un saut. Il échoue. Moi, sans penser à rien, je prends mon élan en me lâchant complètement, les yeux vissés au tremplin. Dès que je le touche, j'accroche mon regard à la barre et aussitôt, utilisant toutes mes forces, je pousse, fort, très fort.

J'ai l'impression d'exploser. Tout se passe très vite, je vole au-dessus de la barre... j'ai gagné !

HAND RAIL SLIDE

Randy Spizer, l'un des concurrents de Freddy Lavaury, lors de la compétition de Lausanne en 1996.

CATCH

PAPILLON

Sans m'en rendre compte. Les spectateurs non plus, d'ailleurs. Pour eux, je suis un inconnu. En revanche, ils connaissent Gustavo et certains se précipitent vers lui, persuadé qu'il est naturellement le vainqueur. C'est en entendant mon nom au micro que je réalise... je suis devenu champion du monde !

Aussitôt, des photographes me mitraillent, des journalistes m'assaillent de questions, des enfants se précipitent pour me demander des autographes. Gustavo est déçu bien sûr, mais il me félicite sincèrement avec Éric.

Rap, techno et applaudissements

Je monte sur le podium pour recevoir une prime de 6 000 francs français et une médaille en argent gravé. J'entends du rap, de la techno, des applaudissements, je suis grisé. Le soir, Éric nous emmène avec Gustavo faire la fête au restau. Je suis vraiment heureux. En rentrant chez moi, à Paris, mes parents et mon petit frère

TOUT SUR LE ROLLER

Hors le high-jump, les disciplines du roller sont :
• le street : descente de marches, de barres d'escaliers ....
• la rampe : allers-retours pour "pomper" (prendre de la vitesse) et sauter le plus haut possible pour avoir, une fois en l'air, le temps de faire une figure
• la vitesse : course sur route ou sur anneaux
• le slalom : l'art des virages
La Fédération française de roller* classe la rampe et le street dans la catégorie "stunk" (roller agressif), le high-jump et le slalom dans la catégorie "roller acrobatique".

* Fédération française de roller-skating
1, rue Pierre Curie BP 29 33401 Talence cedex -
tel : 05 56 84 10 97

ne veulent pas croire à ma victoire. Heureusement, il y a la médaille, mon portrait dans le magazine "Roller mag"... du coup, mon petit frère annonce fièrement à travers tout le quartier : *"Freddy est champion du monde !"*
Aujourd'hui, ma médaille est suspendue au plafond du salon. J'aime la voir. Elle me rappelle le chemin parcouru depuis la première fois où j'ai emprunté les patins de ma cousine. J'avais 6 ans. Il ne faut pas croire que j'ai accroché immédiatement. Le déclic n'est venu qu'à 13 ans. Un jour où on ne savait pas quoi faire, mon voisin Nicolas m'a proposé de me prêter une paire de rollers pour aller se promener. J'ai rechigné mais une fois dessus, j'ai découvert une sensation nouvelle : mon corps devenait léger, je glissais, je pouvais tout faire. Puis, Nicolas m'a emmené au Trocadéro. Les rollers entraient dans ma vie pour devenir ma vie. En ce moment, je démarre la rampe, une discipline plus "fun" et moins rude que le high-jump.
En même temps, je deviens professionnel c'est à dire salarié de l'équipe Bauer International, un fabricant de matériel. J'espère vivre ma passion le plus longtemps possible.

Propos recueillis par
Marie-Hélène Jacquier
Photos : Guillaume Pigelet
Illustrations : Rémi Saillard

Pour travailler ma souplesse, ma rapidité, ma précision, je m'entraîne chaque après-midi au Skate Park de Balard, dans le sud de Paris. Le week-end, je vais au Trocadéro, face à la Tour Eiffel. Mon manager me filme souvent avec son caméscope. Après, on regarde la vidéo, c'est le meilleur moyen de voir **CE QUI NE VA PAS.**

Les livres qui ennuient, ça suffit !

Les livres ringards et les livres rébarbatifs aussi. Avec Bayard Poche, lire, c'est différent,

c'est facile et tu ne risques pas de t'ennuyer, car nos livres

sont conçus pour les amateurs d'émotions fortes,

comme toi. Bayard Poche te propose six séries pour passer du rire

au frisson... Mais attention, le seul danger, c'est que tu ne puisses plus t'arrêter!

Bayard Poche, 6 séries pour les 8-13 ans. De 25,50 F à 45 F.
Je bouquine ● Tom-Tom et Nana ● Délires ● Chair de poule ● Vallée fantôme ● Zone d'ombre

BAYARD POCHE
Ça vous change des livres

Proximité

DOSSIER
LITTÉRAIRE

Zinotchka

**UN RÉCIT COMPLET
EN BANDE DESSINÉE
D'APRÈS LE ROMAN
D'ANTON TCHEKHOV**

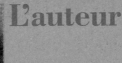

L'auteur

Anton
Tchekhov

**la vie de l'auteur
la fiche lecture**

Zinotchka

**Une nouvelle d'Anton Tchekhov
adaptée par Rodolphe
et dessinée par Dominique Rousseau**

A la fin du siècle dernier, en Russie, un groupe de chasseurs passe la nuit dans une ferme. Quelques-uns jouent aux cartes, d'autres s'occupent des chiens. La lune brille dans un ciel noir. Quelque part au loin, un accordéon se met soudain à jouer une chanson nostalgique. La musique est très belle. Émus, certains hommes commencent alors à parler des filles qu'ils ont aimées autrefois…

... Moi, cette chanson, elle me rappelle une aventure que j'ai eue à St Pétersbourg avec la fille d'une Comtesse!

... Eh oui: la fille d'une Comtesse!...

... Katia... Une petite brune, menue comme une poupée... ... C'est idiot, mais 15 ans après, je suis toujours ému en repensant à elle!...

C'est l'amour, Messieurs!... Et je suis sûr que chacun de nous garde au fond du cœur quelque chaud souvenir de la sorte!... Ressers-nous donc à boire, Grégory!...

Je propose Messieurs, que nous levions nos verres à la mémoire de toutes nos amoureuses!...

Bah! Ce n'est vraiment pas une grosse affaire que d'être aimé!...

... D'ailleurs les femmes n'ont-elles pas été créées précisément pour ça: pour nous aimer?...

CLAC

... Mais tenez, Messieurs: l'un de vous a-t-il été haï? Passionnément haï?

... Moi je l'ai été!... Et peut-être même le suis-je encore!... Oui: l'exact contraire de l'amour!...

Voulez-vous que je vous raconte?

J'étais encore enfant... Un soir d'été, alors que mes parents se préparaient à sortir ...

... Je travaillais mes leçons avec ma gouvernante ... Elle s'appelait Zinotchka.

Elle sortait tout juste de pension et n'avait pas 20 ans. C'était quelqu'un de très doux et de rêveur ...

Dites-moi, Pierre : qu'inspirons-nous en respirant?

De l'oxygène, Mademoiselle !...

Je ne sais pourquoi, ce jour-là, elle était particulièrement attirée par la fenêtre de ma chambre ...

...Bien !...

... Et... euh ... Qu'expirons-nous?

Du gaz carbonique !

?

C'est cela ... En effet !...

...Et les plantes, elles, font l'exact contraire : elles inspirent du gaz carbonique et expirent de l'oxygène! Le gaz carbonique est un gaz très nocif !...

...Il existe à Naples, une grotte appelée "La Grotte du Chien", qui contient du gaz carbonique...

Eh bien, si on fait entrer un chien dans cette grotte, il est asphyxié et il meurt ! ...

Cette malheureuse "Grotte du Chien" représentait à l'évidence pour Zinotchka, le fin du fin en matière de chimie moderne ! ...

Allez, Pierre, répétez !

À propos de La Grotte du Chien ?

... Et l'horizon, dites-moi : qu'est-ce que l'horizon ?

Euh ...

En contrebas, dans la cour, la voiture avait été attelée et mes parents s'apprêtaient à partir...

L'horizon, c'est le lieu où, nous semble-t-il, la terre se fond avec le ciel ...

À vous, Pierre : répétez ! ...

?

A VEZ ! HUE ! ...

... L'horizon, c'est le lieu ...

... Le lieu où ... euh ...

Le départ de mes parents semblait inspirer à Zinotchka une violente émotion ! ...

Vous allez prendre votre livre d'arithmétique et faire l'exercice ... euh ... 325 !

Je reviens tout de suite ! ...

?

Je l'entendis descendre quatre à quatre le grand escalier, puis je vis sa robe bleue traverser la cour et disparaître dans le jardin...

...Dans le jardin? ...Qu'est-ce qu'elle peut bien aller faire dans le jardin.

...À moins que...

J'ai compris!! Elle profite de l'absence de papa et maman pour aller voler des cerises!!...

Oh, la bougresse!!...

...Dans ce cas-là, moi aussi, je vais en manger! Il n'y a pas de raison!...

La voilà!

C'est alors que...

Sacha!!

Zinotchka!!...

!!

Contre mon frère, elle était rouge et haletante, comme si elle avait respiré le gaz carbonique de la Grotte du Chien!...

Mais que font-ils là, tous deux?

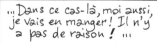

...Zinotchka! O, Zinotchka!...

OH!!!...

...Zinotchka et mon frère !...

Sacha !

Zinotchka et mon frère !...

Honteux d'une telle inconvenance de leur part, je m'enfermai dans ma chambre et me mis à réfléchir...

Mais rapidement je fus pris d'un sentiment de triomphe : je connaissais leur secret ; ils étaient en mon pouvoir !...

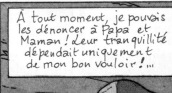

À tout moment, je pouvais les dénoncer à Papa et Maman ! Leur tranquillité dépendait uniquement de mon bon vouloir !...

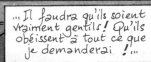

...Il faudra qu'ils soient vraiment gentils ! Qu'ils obéissent à tout ce que je demanderai !...

Aussi le soir même quand Zinotchka vint me dire bonsoir...

Hé ! Hé !... Je sais !!...

De quoi parles-tu, Pierre ?

...Je vous ai vus vous embrasser tous les deux avec Sacha ! Je vous ai suivis dans le jardin, et je vous ai vus !...

Oh non !...

Eh si !...

...Et je vais le dire à Maman ! Trananère!!...

Pierre!! Je vous en supplie! Au nom du Ciel! ... Espionner et dénoncer sont des choses viles!...

Par pitié, ne dites rien à votre mère!!...

La pauvre Zinotchka craignait terriblement ma mère qui était une femme vertueuse et sévère.

...De plus ma figure goguenarde venait de profaner la grâce poétique de son amour. Aussi vous pouvez imaginer dans quel état je l'avais plongée !

...Grâce à moi elle ne dormit pas de la nuit, et arriva le lendemain matin avec des yeux terriblement cernés ...

Bonjour!...Euh, eh bien Pierre, si nous reprenions notre leçon d'hier?

Non.

Allons! Soyez raisonnable!...

Non. Aujourd'hui j'ai décidé que je ne travaillerai pas.

Au lieu de chercher à reprendre son autorité, la malheureuse essaya par tous les moyens de gagner mes bonnes grâces...

Juste un petit exercice ...et je vous mettrai une bonne note!...

En vain, bien-sûr! Le petit maître-chanteur que j'étais devenu multipliait les méchancetés et les insolences!

Oh, Pierre! Non! ...Si votre Père vous voyait!...

...Et s'il vous avait vus, lui, hier avec Sacha?

Une semaine s'écoula ainsi. Mais ce secret me torturait. Je voulais à la fois m'en délivrer et jouir de l'effet que cela provoquerait!...Aussi un midi où mes parents recevaient...

Pierre!! Dépêche-toi! Nous passons à table!...

Je vais le dire! Je vais le dire!...

UN RÉCIT COMPLET

Je regardai Zinotchka d'un air particulièrement venimeux et m'exclamai à voix haute :

Je sais !! Hé Hé !! J'ai vu !! ...

Eh bien, Pierre : qu'est-ce que tu as vu ?

Hé Hé !! ... Je crois que tu ferais mieux de manger au lieu de dire des bêtises ! ...

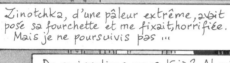

Zinotchka, d'une pâleur extrême, avait posé sa fourchette et me fixait, horrifiée. Mais je ne poursuivis pas ...

De quoi parlions-nous déjà ? ... Ah oui, de notre séjour à Pétersbourg ! ...

Le jour-même, pendant la leçon du soir, j'observai un changement radical de son comportement.

... Quant au triangle équilatéral, il est, comme son nom l'indique, formé de trois côtés égaux.

Soudain, au beau milieu de son énoncé, elle s'interrompit.

Si vous saviez, abominable gamin, comme je vous hais, avec votre horrible tête rasée, vos oreilles décollées et votre regard sournois !!

La nuit même, alors qu'elle croyait que je dormais, elle vint se pencher sur mon lit ...

... Oui, je te hais !! Et je te souhaite tout le mal possible !!

Je te hais ! Je te hais ! Je te hais !

!!!

Cette brusque flambée de haine me terrifia ...

Aussi décidai-je de tout raconter à ma mère, insistant bien-sûr le plus possible sur l'inconvenance de leur rencontre.

Comment ?!!

...Oh, Pierre!!... Ce n'est pas ton affaire de parler de ça!! Tu es beaucoup trop jeune!!...

...Quand même!! Quel exemple pour cet enfant!!...

ZINOTCHKA!! ZINOTCHKA!!

Zinotchka fut congédiée par mes parents. Je me souviens de son départ comme si c'était hier ...

...Et le dernier regard qu'elle me jeta est gravé en moi ...

... pour toujours !

Peu de temps après, Zinotchka épousa mon frère !...

Eh bien ? Qu'est-ce que tu as Pierre ? Tu ne te sens pas bien ?

Si... Si...

Nous allions donc être amenés à nous rencontrer régulièrement.

Euh... Bonjour Zinotchka !...

Bonjour.

...Eh bien figurez-vous qu'aujourd'hui encore, malgré mon âge, ma calvitie et mon petit bedon, elle continue à voir en moi l'odieux moutard d'autrefois, et me regarde toujours de travers !...

Voilà mon histoire ! Comme quoi, Messieurs, au contraire de l'amour, la haine n'est pas sujette à l'oubli !...

...Sur ce, je proposerais que nous allions nous coucher !... Il se fait tard, et demain nous nous levons de bonne heure !...

...Bonsoir Messieurs !

Vous pouvez lire "Zinotchka" dans le recueil "Histoires pour rire et sourire", à L'école des loisirs.

Anton
Tchekhov
1860-1904

L'auteur de
Zinotchka

Enfant pauvre, fouetté, Anton Tchekhov veut devenir médecin. Il publie des textes pour payer ses études. Et c'est la gloire. Il sera l'un des plus grands écrivains russes de tous les temps. Mais jamais il n'oubliera les pauvres, les gens ordinaires, et parlera d'eux avec un humour et une finesse extraordinaires.

Enfant, Anton Tchekhov adore se déguiser. Un jour, habillé en mendiant, il entre chez son oncle Mitrofane, qui ne le reconnaît pas et lui donne négligemment trois kopecks. Quelle joie !

L'ÉGLISE ET LE FOUET

Tout doucement, tout doucement, les paupières se referment… Non ! Surtout, ne pas dormir ! Il est 4 heures du matin, dans la petite église de Taganrog, seule lueur au milieu de la nuit glacée. Anton sait que s'il s'endort, c'est sûr, à la fin de l'office, il aura sa râclée. Son père, Paul Egorovitch, ne plaisante pas avec la religion. Il a même décidé de l'inculquer par le fouet à ses six enfants. Quand les coups pleuvent, Anton ravale son humiliation. À 12 ans, il a appris à se taire. Mais son cœur se révolte. Cette attitude digne et secrète, il la gardera toute sa vie. Quand il n'est pas à l'église, Antocha (surnom d'Anton) est à l'école ou bien aide son père dans la petite épicerie familiale. Une baraque misérable et sombre où les paysans et les matelots viennent s'enivrer. « *Je n'ai pas eu*

Anton Tchekhov, avec ses cinq frères et sa sœur, ses parents (au centre) et (sur la droite), son oncle, sa tante et un cousin.

Le musée Tchekhov, à Moscou. En bas à gauche, la maison de Tchekhov, à Melikhovo. Ci-dessous, une petite église russe, comme celle où, enfant, Tchekhov passait des heures à genoux, tremblant de sommeil et de froid.

d'enfance », écrira-t-il. Pourtant, Anton est un garçon malicieux, qui adore les blagues. Il est né le 17 janvier 1860 à Taganrog, au bord de la mer d'Azov, à l'ouest de la Russie. Une ville pauvre et silencieuse tout près de la steppe, cette immense étendue traversée de vents violents.

LE RIRE ET LA GRIMACE

En 1876, l'épicerie de Paul Egorovitch fait faillite et toute la famille s'enfuit à Moscou. Sauf Anton, qui doit terminer ses études au lycée et survivre par ses propres moyens. Il donne des cours à des écoliers et cache ses chaussures trouées sous sa chaise. Trois ans plus tard, il entre à la faculté de médecine de Moscou et rejoint sa famille qui s'entasse comme elle peut dans un

NOVOSTI

misérable loge-ment. En Rus-sie, la pauvreté n'a jamais em-pêché d'ouvrir sa porte aux amis. Que de s o i r é e s joyeuses à rire, à chanter en chœur, à lire à haute voix, et à écrire aussi. Alexandre, le fils aîné, a réussi à faire accepter quelques contes dans des journaux illustrés. Pourquoi pas Anton ?

Il se met à écrire, sous le pseudo-nyme d'Antocha Tchékhonté, en fai-sant "court et drôle". Anton observe la réalité. Elle est souvent laide. Et il raconte : les maris trompés, les parents brutaux, les paysans mal-traités… avec un rire qui s'achève

NOVOSTI

presque toujours en grimace. Il devient aussi journaliste et ses repor-tages lui inspirent des contes. Anton commence à gagner ainsi un peu d'argent. Et chaque été, il loue pour sa famille, une maison à la campagne. Là, il oublie un peu tous ses pro-blèmes d'argent, ses soucis familiaux (son frère Nicolas est malade, Alexandre est alcoolique) et surtout,

il veut oublier que quelques mois plus tôt, il a craché du sang…

UN REGARD TENDRE

Peu à peu, le succès arrive. Nous sommes en 1886, Anton a 26 ans, un visage mince et beau, des che-veux épais, un regard tendre et pro-fond. Il est maintenant médecin, mais ses patients, pauvres ou amis, ne songent pas à le payer. Il vit de sa plume. Toujours entouré de sa bruyante et exubérante famille, de ses amis, il écrit : « *Au fond, je vis seul.* » En 1888, paraît *La Steppe*, un récit grave et merveilleux, plein de souvenirs. Succès immédiat. À Saint-Petersbourg, sa pièce *Ivanov* est acclamée, l'écrivain Tchekhov connaît la gloire. Mais bientôt, son jeune frère bien aimé, Nicolas, meurt de tuberculose. Anton est bouleversé. L'été suivant, il entreprend une "visite aux enfers", à Sakhaline, un bagne situé sur une île au-delà de la Sibé-rie. En médecin-écri-vain, il rédige

> **Quand il apprenait le malheur ou l'échec de quelqu'un, la premiè-re réaction de Tche-khov était : "ne peut-on l'aider d'une façon quelconque ?"**

ARCHIVE PHOTO FRANCE

dix-mille fiches sur les atroces conditions de vie des déportés.

UNE MUSIQUE DOUCE

Tchekhov rentre à Moscou, malade, il a besoin de s'évader et entreprend une série de longs voyages à travers l' Asie.

« *Le monde est beau*, écrit-il. *Une seule chose est mauvaise : nous.* »

Durant les années suivantes, il reprend ses activités de médecin, pour contrer l'épidémie de choléra. Il se dévoue corps et âme aux plus pauvres. Mais sa santé décline.

En 1898, sa pièce, *La Mouette*, connaît un vif succès. Il s'agit d'un drame écrit d'une manière tout à fait nouvelle.

Sans passion, sans grande tirade. Dans le théâtre de Tchekhov, il n'y a pas d'événement spectaculaire, pas d'héroïsme, mais beaucoup d'humour, accompagné d'une "musique" douce et grave.

Selon Tchekhov, l'écrivain n'a pas à donner de leçon au monde. Il doit simplement poser des questions.

Les bagnards de Sakhaline. Tchekhov a écrit leur vie d'enfer. À droite, Tchekhov avec l'écrivain Tolstoï. Ci-dessous : une représentation de "La Cerisaie"... 1990.

Toute sa vie d'adulte, Tchekhov a travaillé très dur pour faire vivre sa famille. «Vous savez bien que papa et maman doivent manger...» répondait-il en souriant à ses amis qui lui disaient de se reposer un peu...

UN VERRE DE CHAMPAGNE

Tchekhov épouse la jolie actrice Olga Knipper en 1901. Au début de l'été, ils partent en voyage en Allemagne. Mais la tuberculose l'affaiblit de plus en plus. Dans la nuit du 2 juillet, Tchekhov se sent mal. Il demande un verre de champagne et murmure *"ich sterbe"* (je meurs). Son cœur cesse de battre dans la nuit.

On enterre Tchekhov à Moscou, le 9 juillet 1904. Devant la foule, au cimetière, se tiennent ses amis écrivains, Gorki et Chaliapine. Personne ne prononce d'oraison funèbre. Après la cérémonie, sa mère murmure : « *Eh bien, voyez quel malheur nous a frappés. Il n'y a plus d'Antocha !* » C'est tout. Et c'est très bien. Il détestait tellement les grands discours.

Vous pouvez en savoir plus sur minitel 3615 JE BOUQUINE

Ce dossier a été écrit par Pierrette Rieublandou.

Zinotchka
d'Anton Tchekhov

EXTRAIT

Ce même jour, pendant la leçon du soir, je remarquai un changement catégorique dans son visage. Il paraissait sévère, froid comme du marbre, ses yeux me lançaient des regards étranges, droit dans les yeux et, je vous en donne ma parole d'honneur, jamais, même chez les chiens de meute à la poursuite d'un loup, je n'avais vu de regard aussi impressionnant, aussi écrasant. »

Extrait de Zinotchka, "Histoires pour rire et sourire", (L'école des loisirs).

RÉSUMÉ

Une nuit, un groupe de chasseurs se racontent des anecdotes, des souvenirs... L'un d'eux commence à évoquer pour ses compagnons une histoire qu'il a vécue dans son enfance. Une histoire de haine... Alors qu'il était enfant, ses parents avaient confié son instruction à une jeune et jolie gouvernante : Zinotchka. Un jour, alors que ses parents étaient sortis, le jeune garçon suivit Zinotchka à son insu et découvrit quelque chose qu'il n'aurait jamais dû voir. Il va en profiter... Laissez-vous prendre par cette histoire toute simple, d'enfance et de cruauté.

STYLE

Tchekhov écrit simplement, d'une plume concise, pleine de délicatesse et d'humour. Il manie avec beaucoup d'habileté les effets poétiques, et peut utiliser aussi, de façon très percutante, les tournures du langage populaire. Il déteste les grandes envolées lyriques ! Chez lui, tout est sobre et pudique.

PETITE CHRONOLOGIE

17 janvier 1860 : Naissance d'Anton Pavlovitch Tchekhov

1876 : Faillite de l'épicerie du père d'Anton. Toute la famille, sauf Anton, s'enfuit à Moscou.

1879 : Anton rejoint sa famille à Moscou et entre à la faculté de médecine.

1880 : Premiers textes de Tchekhov, dans des journaux humoristiques.

1885 : Il publie 129 contes ou articles ! Il est maintenant médecin : « Ma médecine va doucement, je soigne et je guéris... »

1887 : Succès de sa pièce "Ivanov", présentée à Saint-Petersbourg.

1888 : "**La Steppe**" paraît.

1890 : Voyage au bagne de Sakhaline.

1898 : Succès de "La Mouette".

1899 : Tchekhov, malade, habite à Yalta. Il y écrit "La Dame au petit chien".

1901 : Tchekhov publie "Les Trois sœurs". Il se marie avec l'actrice Olga Knipper.

2 juillet 1904 : Tchekhov meurt, alors qu'il est en voyage en Allemagne.

COLLECTION VIOLLET

Tchekhov, avec son ami, l'écrivain Gorki.

Tchekhov a dit...

« Si vous craignez la solitude, ne vous mariez pas. »

« Le bonheur et la joie ne sont ni dans l'argent ni dans l'amour mais dans la vérité. »

« Chez les insectes, la chenille devient papillon. Chez les humains, c'est le contraire. »

On a dit de lui...

« Il est solitaire. Il a beaucoup d'amis, mais lui n'est l'ami de personne. »
(Un ami de Tchekhov, Sergéenko)

"Les écrits de jeunesse de Tchekhov n'ont jamais suscité en moi un tel déferlement de gaieté que pendant le vol spatial. Ils évoquaient dans ma mémoire des milliers de visages connus et toute sensation angoissante d'être coupé de l'humanité s'évanouissait. "
(Le cosmonaute Vitali Sévastianov)

D'**Anton Tchekhov**
VOUS POUVEZ LIRE

« La steppe »
Un petit garçon entreprend un voyage à travers la steppe. Il va y apprendre beaucoup de choses sur la société russe, et sur lui. Un récit vif, poétique et passionnant.
(Folio, Le Livre de poche)

« Histoires pour rire et sourire »
Un enfant à tête de navet, une lotte qui ne se laisse pas pêcher, un accordeur de piano à la recherche de ses bottes... Tchekhov imagine les situations les plus burlesques pour nous parler, avec beaucoup de tendresse, des hommes de son temps.
(L'école des loisirs)

Cher Auteur

"Et moi, qu'est-ce qui me fait peur ? Vraiment peur"...
Beaucoup d'entre vous se sont posé la question
en lisant "La Peur de ma vie"... Voici vos lettres :

JE BOUQUINE

UN ROMAN
DE MARIE-AUDE MURAIL
La peur
de ma vie

Kipling
Le Livre
de la Jungle

Quand j'ai lu votre roman, j'ai pensé à mon enfance. Les histoires d'ogres et de sorcières me fascinaient tout en me faisant peur. Mais les vraies peurs sont bien pires que les histoires inventées pour les enfants…

Maeva, 12 ans

Votre histoire est très réaliste car beaucoup d'enfants de mon âge ont peur de quelque chose et n'osent pas en parler. Dans notre collège, nous avons fait un débat sur la violence… Et là, surprise ! J'ai réalisé que des garçons qui se font passer pour des durs sursautent au moindre volet qui claque !

Claire, 12 ans. Carspach (68)

En lisant "La peur de ma vie", j'ai cherché ce que serait pour moi la vraie peur : je crois que ce serait de me retrouver seule, et de ne plus avoir de livres. Les livres, c'est ma vie !

Rochelle, 13 ans. Anor (59)

J'ai adoré votre roman qui soulève les petits problèmes de la vie quotidienne. Il m'a fait frissonner de peur, de curiosité et de plaisir.

Marion, 12 ans. Saint-Laurent de Médoc (33)

Pour la peur, génial !
Pour le suspense, génial !
Pour l'amitié, génial !
Donc, pour le roman, génial !

Anaïs, 13 ans. Bordeaux (33)

J'ai trouvé votre roman vraiment génial. À tel point qu'avec des copines, on a décidé de faire du spiritisme ! Malheureusement, ça n'a pas marché. Par contre, ce qui a marché, c'est qu'on a convaincu notre prof de nous faire écrire un roman avec tous ces ingrédients !

Fany, 13 ans. Arc-les-Gray. (70)

Cher lecteur

Marie-Aude Murail
l'auteur de
"La peur de ma vie"
Je Bouquine n°155

Merci à Clément, Fanny, Maëlle et Cie… Merci à tous ceux qui m'ont écrit pour "la Peur de ma vie". Certains d'entre vous connaissent mes autres livres, "Baby-sitter blues" ou "L'Assassin est au collège" ce qui me fait aussi très plaisir. Isabelle a même dû

lire "Scénario-Catastrophe" pour l'école. J'espère que madame Fisher ne lui a pas en plus réclamé une fiche de lecture !
La peur de ma vie, si j'y réfléchis comme vous-mêmes l'avez fait, qu'est-ce-que c'est ? Quand j'étais enfant, peu de temps après la mort de ma grand-mère, alors que j'étais

dans mon lit, j'ai senti une main qui passait sur mes cheveux. J'ai eu le grand frisson, celui de l'au-delà, celui de l'adieu. Mais les vraies peurs, comme dit Serge, ne sont pas à verser dans les dossiers de Fox Mulder, pour les "Frontières du réel". Mes grandes peurs, je les dois à mes enfants.

C'est ce jour où Benjamin s'est perdu en forêt, et cet autre où les copains l'attendaient en vain. Les voilà, les peurs de ma vie. Chaque fois que cinq heures et quart deviennent cinq heures vingt. Cinq heures vingt-cinq… Je n'y tiens plus, je guette à mon balcon : Charles, où es-tu ? Quand je pense qu'après Charles et Benjamin, il y aura encore la petite sœur, je craque ! Serge a peut-être peur de grandir. Sa maman a sûrement peur de le laisser grandir. Et pourtant, c'est ça, la vie !

Marie-Aude Murail

LES LAURÉATS FONT LA FIESTA

*Quelle ambiance !
Le 30 janvier dernier,
les gagnants régionaux
du prix Miniplume
se sont réunis
à la Fnac de Toulouse
pour recevoir leurs prix.
Une super fête,
pour tout le monde.*

"Nos préférés ? Les récits qui donnaient une
suite logique au début écrit par Daniel Picouly".
Le jury, épaté par la qualité des textes !

"Dans notre texte, nous avons voulu voyager dans l'espace, mais aussi dans le temps !".
Les gagnants, catégorie "je joue avec ma classe", élèves de la 5ème 2 du collège
Montesquieu de Cugnaux.

"Ce qui nous a plu, c'est de gagner le prix régional, bien sûr, mais c'est aussi le voyage en car pour venir à la remise des prix (6 heures aller-retour !) avec les pique-niques, et l'ambiance ! C'est génial !" Les gagnants catégorie "Je joue avec ma classe", élèves du CM2 de l'Ecole Benauge de Bordeaux.

Maintenant, écoutez tous ! François Azema, comédien professionnel, lit les textes des gagnants.

"Un mois de travail, tout le monde s'y est mis !" Les gagnants, interrogés par Béatrice Valentin, rédactrice en chef de Je Bouquine, expliquent leurs méthodes de travail. Chapeau!

PHOTOS MICHEL LABONNE

40 livres pour peindre, sculpter et créer

Une sélection jeunesse des libraires
de la Fnac à découvrir du 5 au 25 avril

L'art est
un jeu
d'enfant

fnac

Le tour du monde en 80 secondes

par Daniel Picouly
et les gagnants

EUROPE 1

fnac

EDITO

Les plats exotiques surgelés et le joyeux talent de Daniel Picouly vous ont inspirés. Vous avez été 12 000 à écrire à sa suite, "Le Tour du monde en 80 secondes". Un record ! Les correcteurs qui ont lu vos textes en ont eu l'eau à la bouche et des paysages, des aventures plein les yeux. Difficile de vous départager. C'est Daniel Picouly qui a eu le dernier mot en choisissant les gagnants nationaux. Découvrez leurs textes dans les pages suivantes. Bravo, et préparez vos plumes pour l'année prochaine !

Béatrice Valentin, Rédactrice en chef

RÉSULTATS DU CONCOURS MINIPLUME 1997

Catégorie "JE JOUE SEUL"
1er PRIX (un bon d'achat de 5000 F offert par la FNAC)
Margaux GIUSTINI - 35000 Rennes
2ème PRIX (un bon d'achat de 2000 F offert par la FNAC)
Anaïs VIEITEZ - 82400 Goudourville
du 3ème au 20ème PRIX par ordre alphabétique
(un jeu électronique Nathan : Euréka)
Julia BARBOTIN (45480 St Péravy-Épreux) - Sophie BLOUIN (13510 Éguilles) - Aurélie
BOURRET (69130 Écully) - Maya CELLOT (12550 St Juéry) - Chloé DELAPORTE (77210
Avon) - Shannon DELORME (53200 Château-Gontier) - Élodie DENIS (88000 Épinal) - Marine
DOMERGUE (35000 Rennes) - Annie GISLER (1700 Fribourg - Suisse) - Marie LELOIRE
(80580 Bray les Mareuil) - Lisa NEDDAM (78180 Montigny le Bretonneux) - Anne-Claire
PAILLISSÉ (66000 Perpignan) - Claire PIENS (67240 Oberhoffen) - Lætitia POURRAT (07100
Annonay) - Delphine SURACI (13117 Lavéra) - Caroline VABRET (74200 Thonon les bains) -
Anne-Lise VIGNERON (37100 Tours) - Clément VINCENTE (62810 Avesnes-le-Comte) -

Catégorie "JE JOUE AVEC MA CLASSE"
1er PRIX (un bon d'achat de 6000 F offert par la FNAC)
Classe de CM2 de Mme THERY, Groupe scolaire l'ATRIUM de BAVAY (59570)
2ème PRIX (un bon d'achat de 2000 F offert par la FNAC)
Classe de CM2 de Mme ROSSET, Ecole Primaire mixte de SAINT-INNOCENT (73100)
du 3ème au 20ème PRIX (Un appareil photo Polaroïd vision pour la classe)
Atelier Art'ccessible, Association Socio-Culturelle et Sportive Jean Jaurès - Le Canet, Marseille
(13014) - Classe de 6ème C de Mme FONTAINE, Collège J. Monod, Caen (14000) - Classe de
5ème 2 de Mme SELOSSE, Collège Montesquieu, Cugnaux (31270) - Classe de CM2 de Mme
ROBERT, École Mixte Benauge I, Bordeaux (33100) - Classe de CM2 de Mme MEHAIGNE-
RIE, École Primaire Saint-Michel, Rennes (35000) - Classe de 4ème C de Mme PHILIPPOT,
Collège Départemental Robert Schuman, Metz (57074) - Classe de 5ème C de Mme BOUNABAT,
Collège privé N.-D. de la Paix, Lille (59800) - Classe de CM2 B de Mme HERMET, École
d'application Edgar Quinet, Clermont-Ferrand (63000) - Classe de 6ème B de Mme BERTHE-
LOT, Collège de l'Esplanade, Strasbourg (67043) - Classe de CM2 de M. ISSENLOR, École
Élémentaire Jean Rasser, Ensisheim (68190) - Classe de 6ème 5 de Mme BERTELIN, Collège
privé La Xavière, Vénissieux (69200) - Classe de 5ème L de Mme NGUYEN LUONG, Collège
Verhaeren, Bonsecours (76240) - Classe de 4ème 2 de Mme ROY, Collège Charlemagne, Paris
(75004) - Classe de 4ème Technologique de Mme GUINIER, Collège Marcel Pagnol, Pertuis
(84122) - Classe de CM2 de Mme CLUZEL, École privée Saint-Joseph, Carpentras (84200) -
Classe de 5ème7 de Mme DELHOTE, Collège Maurice Genevoix, Couzeix (87270) - Classe de
CM1 de Mme DARODES, École Sainte-Marie de Neuilly, Neuilly (92200) - Classe de 5ème C de
Mme CHERFY, Collège les Martinets, Rueil-Malmaison (92500) -

Catégorie "INTERNATIONAL"
**1er PRIX (Un bon d'achat de 2000 F
offert par la FNAC)**
Sophia LAHLOU (Rabat - Maroc)
2ème PRIX (une montre Je Bouquine,
12 livres Je Bouquine poche)
Soumia ZGHAYOU (Rabat - Maroc)

101

Le tour du monde en 80 jours
de Daniel Picouly

– Minou, tu n'oublieras pas de brosser tes dents le soir !
– Maman ! Arrête de m'appeler Minou.
– Pas de télévision trop tard, ni de cassette au vidéoclub !
– Promis !
– Tu as des surgelés dans le congélateur. Tu sauras te servir du nouveau micro-ondes ? Tu veux que ton père te montre ?
– Inutile, Hélène, c'est lui qui m'a expliqué la notice du four !
– Nous t'appellerons dès que nous serons arrivés à Nice. Surtout, tu laisses le répondeur branché !
– Hélène, on va finir par rater l'avion.
– Si tu as besoin de quoi que ce soit, tu montes chez madame Driaud. Tu penses à arroser le caoutchouc, mais pas trop.
– Hélène, le taxi est en bas !
– Il faut qu'on y aille, mon Minou…
– Maman, je t'ai déjà dit…
– Pense à ta maman qui va voir le carnaval de Nice pour la première fois ! Un dernier bisou.

Ouf ! La porte se referme. Ça y est, ils sont partis !
Clément écoute les pas dans l'escalier. Sa mère oublie
toujours quelque chose. Ça ne rate pas.
– Mes lunettes, Clément ! Où j'ai posé mes lunettes papillon ?
– Elles sont autour de ton cou.
– C'est vrai ! C'est pratique ce cordon. Attention à ne pas t'étrangler avec une arête de poisson. Il faut avaler de la mie de pain… Henri, attends-moi !

Cette fois, c'est fait. Clément regarde par la fenêtre. Le taxi disparaît dans les embouteillages.

Aussitôt, il pousse un cri de coyote, jette ses chaussons en l'air et sort son T-shirt de son pantalon. Déjà trois choses interdites de faites. Il en reste cent cinquante-deux et les parents reviennent dans deux jours ! Il va falloir s'organiser pour les bêtises.

Clément va chercher son cahier sur lequel il a dressé la liste des
choses interdites à faire. Il aime bien l'expression "dresser une liste",
ça fait dompteur de mots. C'est ce qu'il veut être plus tard.

Dessus, Clément coche "Robe de chambre", "Fauteuil", "Journal"
et "Cigare". Puis, tranquillement, il enfile le peignoir à carreaux de
son père, s'assoit dans le fauteuil crapaud en cuir caca d'oie, déplie
Les Échos et allume un gros Cubana n° 2.

Clément est déçu. Il ne voit pas ce qu'il y a à interdire dans tout ça.
La robe de chambre gratte au cou, le fauteuil s'enfonce, le journal est
illisible, le cigare sent mauvais et, dès la première bouffée, ça fait tourner les meubles du salon. En plus, ça donne drôlement envie de…

Il se lève soudain, secoué par un gros hoquet. Vite, le lavabo de la
salle de bains ! C'est au moins à mille kilomètres. Trop tard ! Chose
interdite n° 156 : ne pas vomir son petit déjeuner sur le tapis
du salon.

Ça va mieux, Clément se sent soudain plus léger. Quelque chose
ronge son ventre. Midi ! Il a faim ! Bien sûr, il faudra nettoyer le
tapis. Mais d'abord il doit prévenir Douce-Câline. Clément va à sa
chambre, ouvre la fenêtre et accroche un pot d'hortensias bleus à la
rambarde. Signe qu'il est tout seul et que Douce-Câline peut le rejoindre. Mais rien ne se produit du côté de chez elle. Douce-Câline
doit encore réviser.

Clément hausse les épaules. Cette fille se fera germer le cerveau à
force de travailler. Dommage, Clément aime bien Douce-Câline, et
même plus.
– Je vais me venger sur le frigo !

Dans la cuisine, Clément pousse un cri d'horreur. Le réfrigérateur
a la rubéole ! Sa mère l'a couvert de "Post-it" roses :
Attention aux dates de fraîcheur… Ne suce pas les glaçons…
À l'intérieur, rien, sauf une pile de plats surgelés aux noms étranges :
Poulet aux mangues douces de Bangkok, Bœuf aux pousses d'ananas
de Tahiti. L'emballage dit : "Saveurs du monde / collection Évasion",
avec une image de la ville qui ressemble à une carte postale.

Clément choisit Bangkok. Il glisse la barquette dans le four. Le cadran lumineux lui demande : "Fumeur ou non-fumeur ?"
Machinalement, il répond "fumeur" et pianote le temps de cuisson.
Le four se met en marche avec un sifflement de turbine. Une petite
musique lui annonce que c'est prêt…

Ding-dong-dong-dong ! 12 h 12. Clément se jette sur son plat…
Ne mange pas trop chaud ! lui rappelle un Post-it. Mais Clément
n'écoute pas. Il engloutit en une bouchée et sent une douce cha-
leur parfumée l'envahir.

Son corps s'envole par la fenêtre de la cuisine comme une mont-
golfière. Il traverse l'espace et retombe sur l'étal d'un vendeur
de pastèques à chapeau chinois…
– Petit voyou ! Petit voyou !…

   Clément se sauve en courant dans une rue encombrée de
pousse-pousse. Il est dans une ville inconnue. « Bangkok », dit
une pancarte. Où est le métro ? Je dois rentrer chez moi, ma
mère va s'inquiéter. Un gros homme en robe de chambre à carreaux le poursuit dans son fauteuil roulant. Il agite un journal
en criant : – Mon cigare ! Au voleur !…

   Clément se retourne, il ne voit pas le livreur de pains de glace
et percute le brancard de sa carriole. Un choc violent dans le
ventre. Clément tombe étourdi.

   Ding-ding-ding-dong !

   Clément secoue la tête pour se réveiller. Mais pourquoi
les sonneries se ressemblent toutes, aujourd'hui ? Ça carillonne
à la porte. C'est Douce-Câline.
– J'ai vu l'hortensia bleu à la fenêtre.
– Douce-Câline, tu veux aller à Tahiti avec moi ?

   Clément lui raconte son évasion au micro-ondes et lui montre les
plats surgelés.
– Tu as vu, il y a même de la ratatouille niçoise !

   Non, Clément n'avait pas vu. Les filles, ça voit toujours tout.
Il regarde. Sur l'emballage, il y a une image du carnaval, avec
une dame qui porte des lunettes papillon.
– Alors Clément, on va où ?

                                                              à suivre…

104

1ᴱᴿ PRIX NATIONAL
catégorie "Je joue seul"
Margaux GIUSTINI
(Rennes)

Un pressentiment empêche Clément de choisir la ratatouille. Ça lui rappelle bizarrement sa mère. Et en plus, il n'aime pas ça. Dans le fond du congélateur, il y a un autre plat surgelé : "blancs d'iguane aux goyaves sacrées d'Indogipus" dit l'étiquette.

À côté, la photo d'une jungle touffue où sont camouflés de drôles de reptiles multicolores.

- On y va, Douce-Câline ?

- Blancs d'Iguane ? Beurk !

Mais c'est trop tard, Ding-dong-ding-dong chante le micro-ondes, et la porte du four s'ouvre automatiquement : c'est prêt .

Clément pique sa fourchette dans la chair colorée et Douce-Câline finit par en faire autant. Le parfum exotique des goyaves leur fait tourner la tête.

Les voilà transportés par un vent tropical, et ils survolent désormais les océans de la planète.

Après un voyage de seulement quelques secondes, ils retombent chacun à leur tour dans les cocotiers courbés aux noix de coco vivantes :

- Bienvenue à Indogipus !

- Mais vous parlez ! s'écrie Clément.

Une fois à terre, Douce-Câline et lui se regardent sans comprendre. Des noix de coco qui parlent ? Et pourquoi pas des iguanes, tant qu'on y est ! C'est pourtant ce qui est en train de se produire…

- Bonjour Madame, Bonjour Monsieur. Mariés ? Des enfants ? En voyage de noces peut-être ? Vous avez bien choisi la destination : Indogipus est le lieu rêvé des lunes de miel.

Les deux ouvrent des yeux ronds. En face d'eux, un iguane vert à carreaux rouges, le cigare dans une patte, un journal dans l'autre, les regarde avec sympathie.

- Mais… vous aussi, vous parlez, balbutie Douce-Câline.

- Ah, ça, mes cocos ! Il va falloir vous y habituer. A Indogipus, les escargots ont des roulettes, les palmiers des ascenseurs, le ciel a trois soleils, et le gouvernement un crapaud comme président : Amphibius III. Le pauvre vieux se bat depuis des années pour que les mouches arrêtent de gober les grenouilles…

- Vous plaisantez !

- Bien sûr que non ! À Indogipus, TOUT est inversé ! Les souris courent après les chats et les os rongent les chiens. Ce n'est pas toujours facile, vous savez.

- Ça alors…

Douce-Câline fixe étrangement l'iguane.

- Mais je vous reconnais, VOUS ! C'est VOUS qui êtes sur la photo du surgelé.

- En effet, je suis top-model.

Soudain, gros silence, un silence gêné :

- J'ai honte, avoue Douce-Câline, j'ai mangé de l'iguane, tout à l'heure.

- Pas de problème, c'est recyclable ! Bon je vous laisse, j'ai une séance-photos dans cinq minutes. Au revoir !

Clément et Douce-Câline regardent l'iguane s'éloigner.

- Tu sais, confie Clément, j'aimerais bien rester ici. Mais 80 secondes, c'est un peu court. Le temps s'écoule trop vite. Douce-Câline…

Il la regarde. Elle également. Alors, comme à la fin d'un très beau rêve, il pose ses lèvres sur les siennes. Derrière, pas de musique, comme dans les films, juste le léger bruit du micro-ondes qui va bientôt sonner.

1ᴇʀ PRIX NATIONAL
catégorie "Je joue avec ma classe"

CM2 Groupe scolaire L'Atrium
de Bavay (Nord)
Professeur : Mme Annie THERY

Alors Clément, on va où ?
- Attends ! J'ai encore 152 choses interdites à faire ! Il y a une bouteille de champagne à la cave. Si on fêtait notre liberté de deux jours ?

- Mais c'est de l'alcool ! Tu es fou ?

- Tu veux des chocolats ? Ma mère cache la boîte de Léonidas qu'elle a reçue à Noël dans sa table de chevet. Je vais la chercher.

- Oui ! Je préfère ça !

- Comme tu veux ! Champagne pour moi, chocolat pour toi. Il y a un CD dans la chaîne, met-la en marche.

Et en buvant sa troisième coupe pendant que Douce-Câline se goinfre de chocolats, il coche sur sa liste "boissons alcoolisées", "chocolats de maman", "fouiller dans la chambre des parents et mettre la musique à fond" !

- Clément, je ne me sens pas bien !

- Moi non plus, ça tourne !

- C'est peut-être parce qu'on a faim ! Si on mangeait ?

- Couscous au bœuf sauce piquante, ça te va ?

Clément enfourne le plat dans le micro-ondes. Comme tout à l'heure, celui-ci affiche : "alcoolisé ou chocolaté ?"

- Alcoolisé, répond Clément sans réfléchir.

Ding-dong-dong-dong.

- C'est prêt ! À table !

Ils sentent leurs corps se soulever et se retrouvent sur une place remplie de gens en djellabah.

- Où sommes-nous ?

107

- Au Maroc, pardi ! regarde le panneau : Casablanca !

- Et la mosquée !

- Tu vois toutes ces chaussures ? Je prendrais bien des babouches bleu-nuit à paillettes !

- Moi, je prends les roses brodées de fleurs !

Au moment où ils vont les chausser, un homme apparaît en faisant de grands signes.

- Petits garnements ! Attrapez-les !

Ils courent à perdre haleine jusqu'à une falaise et tombent... sur le canapé du salon.

Ding, dong, ding, dong ! Clément va ouvrir : c'est madame Driaud.

- Qu'est-ce qui se passe, Clément ? Qu'est-ce que c'est que ce boucan ? Tu vas bien ?

- Oui, oui, madame Driaud, pas de problème. Je vais baisser le son. Ne vous inquiétez pas !

Clément rejoint Douce-Câline.

- Qu'est-ce qu'on fait maintenant ?

- Et si on allait à Nice ?

- Oui, mais il faudrait se déguiser. Oh ! mais j'y pense, on n'a qu'à fouiller dans la garde-robe de mes parents !

Vite, ils montent l'escalier et vont voir ce qu'il y a dans l'armoire.

- Wouah ! Elle a de belles robes, ta mère ! Dis, tu penses que je peux mettre sa robe de mariée ?

- Bien sûr que oui !

- Et tu crois qu'elle a du maquillage ?

- Ah ! la la ! les filles ! Bon, je mets quoi moi ? Voilà, j'ai trouvé : le costume de cérémonie de mon père !

Il l'enfile tandis que Douce-Câline se maquille. Ils descendent l'escalier bras-dessus, bras-dessous et rentrent dans la cuisine. Douce-Câline s'installe en attendant que Clément mette le plat de ratatouille dans le micro-ondes. Comme d'habitude, le cadran lumineux lui demande "masqué ou non masqué ?"

Clément répond "masqué". Ding-dong-dong !

- C'est prêt !

Ils mangent, sentent leur corps s'évaporer et… retombent sur le nez d'un gros géant !

- Qu'est-ce qu'on fait ici ?

- On est tout simplement sur le nez d'un géant !

- D'un géant ! Au secours !

- Chutt ! C'est un faux, trouillarde !

- Mais je ne pouvais pas savoir ! Clément ! J'ai le vertige !

- Arrête ! Je ne vois plus rien ! Ne t'inquiète pas, j'ai fait de l'escalade quand j'étais gosse.

- C'est fou ce que je suis rassurée !

- Bon d'accord, j'admets que j'en ai fait seulement pendant six mois, mais ce n'est pas une raison !

- Clément... Je glisse !!

- Moi aussi, au secours !!

- Quelle idée d'être venus à Nice !

- Admire le paysage ! c'est la première et dernière fois que tu le vois !

- Je tombe !... Je tombe !... À l'aide !!

Et au moment où ils croient qu'ils s'écrasent, ils se retrouvent... sur la table.

- On n'est pas morts ?

- Apparemment non.

- Ouf ! On a eu chaud !

Ding ! dong ! dong ! dong!

Clément s'approche de la porte d'entrée et entend ses parents se cha-mailler :

- Oui ! C'est de ta faute si on a raté l'avion ! Tu aurais pu te presser au lieu de faire la conversation à ton fils !

- Minou ! Ouvre ! C'est nous !

Pris au piège, Clément va ouvrir.

- Mon minou, tu vas bien ? Tiens bonjour Douce-Câline ! Tu es venue tenir compagnie à Clément ? Mais...c'est ma robe de mariée ça ! Et toi, Clément, tu as mis le costume de ton père ? Sniff...Sniff... Il y a une drôle d'odeur ici ! Henri ! Tu es parti en laissant ton cigare allumé ! Clément, enlève ce costume et viens m'aider à ranger les bagages dans ma chambre ! Mais... Qu'est-ce que c'est que ce capharnaüm ? Henri ! Viens voir !

- Je ne peux pas ! Tu aurais pu nettoyer le tapis avant de partir ! J'ai marché dans une espèce de chose gluante : c'est dégoûtant !

- Mais qu'est-ce qui se passe ici ?

Clément ! Explique-moi !

1ᴱᴿ PRIX INTERNATIONAL
Sophia LAHLOU
Rabat (Maroc)

À Tahiti évidemment ! Il ne nous reste plus qu'à réchauffer le bœuf aux pousses d'ananas. Un petit pianotage, encore le fameux sifflement, la petite musique et c'est prêt !

- Bon Douce-Câline, à mon signal tu manges en même temps que moi. On doit s'envoler ensemble.

Le cœur battant, Douce-Câline s'exécute. Elle a peur. Mais découvrir Tahiti autrement que sur l'atlas Hachette est trop tentant. Cette fois-ci, ce sont deux montgolfières qui empruntent le balcon. Ils survolent des chaînes montagneuses, des lacs, des rivières, des plaines verdoyantes, des forêts denses et même des océans immenses. Ils se retrouvent projetés sur un immense buffet dressé. Plus précisément entre un plat de mangues et un autre d'ananas. Encore deux interdits transgressés : se mettre chaussé et debout sur une table, se retrouver à la table de personnes qui ne vous ont pas invité. Mais au diable les interdits d'Hélène la "dresseuse de mômes" !

Curieux de tout voir, excités par la musique endiablée et exotique qu'un groupe joue avec ferveur, Clément et Douce-Câline tournent la tête dans tous les sens. Ils voient un groupe de vahinés vêtues uniquement de couronnes de fleurs, se déhancher inlassablement. Beaucoup de personnes circulent au milieu de palmiers gigantesques, de cocotiers magnifiques. D'autres dansent en buvant et en mangeant, ils sont tous habillés comme pour un carnaval. D'abord Clément, effrayé, pense qu'il a réchauffé la ratatouille niçoise, et qu'il va brusquement voir sa mère surgir. Mais son doute est effacé par Douce-Câline qui lui dit :

- Clément nous sommes à Papeete. Au "Club-Med" de Papeete. Regarde la banderole là-bas au fond.

- C'est super ! Douce-Câline, profitons-en.

111

Clément se précipite sur les nombreux plats. Il mange à belles dents, avec ses mains : encore deux choses interdites de faites.

Douce-Câline quant à elle, se met à interroger les indigènes sur leurs coutumes et traditions : toujours son envie de s'instruire.

Tout d'un coup, le ciel se couvre, le vent souffle, les arbres se penchent, le buffet se renverse, les personnes s'empressent. Quelqu'un crie :
- C'est l'ouragan !

Clément et Douce-Câline sont soulevés dans l'air et arrivent assommés chez eux.

Ding-dong-ding-dong !

Clément va ouvrir. C'est Madame Driaud venue aux nouvelles.
- Alors Clément, ça va ? Tu as une drôle de tête. Que t'arrive-t-il ?
- Je faisais la sieste, comme maman me l'a recommandé.
- C'est bien mon petit. Surtout n'hésite pas à venir chez moi en cas de besoin.
- Merci madame, je n'y manquerai pas.

Il est l'heure de rentrer pour Douce-Câline. Clément lui propose un autre voyage au dîner. Elle refuse car elle n'a pas la permission de sortir le soir.

Resté seul, Clément prend un immense paquet de "chips", une grande bouteille de "Coca-cola", se met sur le canapé préféré de sa maman et allume la télévision : encore trois interdits non respectés.

Il s'endort profondément, épuisé par ses voyages éclairs. Quand il se réveille, il est vingt heures. Il est temps d'aller dîner. Arrivé à côté du réfrigérateur toujours atteint de rubéole, Clément sort la ratatouille niçoise. Il hésite car à Nice il risque de se trouver nez à nez avec ses parents. La tentation est trop forte. Il allume le micro-ondes, programme le temps de

cuisson. Ding-dong-dong-dong ! 20 h 15. Clément se jette sur son plat. La même sensation l'envahit. Il flotte, se soulève, traverse l'espace. Il tombe sur un carrosse tiré par des chevaux blancs. À côté de lui, il voit des demoiselles habillées en fée. Il regarde autour de lui et comprend que c'est le défilé qui précède le carnaval de Nice. L'ambiance est gaie. Les gens crient et applaudissent. Il est heureux d'être acclamé par la foule. Tout à coup il entend une voix familière appeler :

- Minou ! Minou !

Il bascule et tombe. Son cœur bat très fort. Sa tête tourne. Ding-ding-ding-ding ! Il essaie de se réveiller. C'est la sonnerie du téléphone.

- Minou ? C'est toi mon Minou ?

- Oui, maman c'est moi.

- Tu as une drôle de voix. Qu'est-ce que tu as ?

- Je dormais maman.

- Figure-toi qu'il m'a semblé te voir à l'instant. Ton père dit que j'ai des hallucinations. Il est 20 h 20 et tu dors déjà, c'est bien mon Minou, tu es un bon garçon ; dors et fais de beaux rêves.

- Toi de même maman, au revoir.

Clément ne se le fait pas répéter et c'est habillé, chaussé et sans avoir touché la brosse à dents qu'il se précipite sur son lit. Fatigué par sa journée mouvementée, heureux d'avoir appliqué le contraire de ce qu'on lui a dit, Clément se prépare à faire un nouveau voyage.

Illustrations Emile Bravo

MERCI !

*La rédaction de Je Bouquine
tient à remercier ses partenaires...*

uFcv

EUROPE 1 • La Fnac, pour son accueil
et ses bons d'achat offerts aux premiers
gagnants de chaque catégorie

• L'UFCV pour les séjours de vacances offerts
aux gagnants en région

• Polaroïd pour ses appareils photos offerts
au gagnant au niveau national

• Les éditions Laffont pour les Quid 97 avec leur
CDRom offerts aux gagnants en région

quid 1997

• Nathan pour son jeu électronique Eurêka offert
aux gagnants nationaux

• Europe 1

LA DÉPÊCHE *du Midi*

... les journaux régionaux...

Les Dernières Nouvelles d'Alsace
Le Provençal
La Voix du Nord
La Dépêche du Midi
Ouest France
Le Progrès de Lyon

DNA DERNIERES NOUVELLES D'ALSACE

LE PROGRES

BAYARD POCHE

*... les correcteurs, les membres du jury
et les animatrices Bayard Presse*

BRAVO !

Pour féliciter les lauréats du Prix Miniplume, Je Bouquine a organisé
une grande fête à Paris, le 14 mars dernier, au Café littéraire de la
Fnac, lors du Salon du Livre de Paris (Porte de Versailles).
Un endroit idéal pour accueillir les écrivains en herbe !